UN ÉTÉ D'AMOUR ET DE CENDRES

D1280532

Bonne lecture !

Aline A+

DE LA MÊME AUTEURE

ROMANS ET RÉCITS

Les larmes de Lumir, Paris, Mots d'Homme, 1986.

Lettre à mes fils qui ne verront jamais la Yougoslavie, Paris, Isoète, 1997 ; Montréal, Leméac, 2000.

Les grandes aventurières, Montréal, Stanké/Radio-Canada, 2000.

Tourmente, Montréal, Leméac, 2000.

L'homme de ma vie, Montréal, Québec Amérique, 2003.

Vetiva, Montréal, Québec Amérique, 2005 ; Paris, Isoète, 2008.

Ailleurs si j'y suis, Montréal, Leméac, 2007.

POÉSIE

Au joli mois de mai, Montréal, VLB, 2001.

JEUNESSE

La treizième lune, avec Raphaël Weyland, Paris, Bastberg, 1996.

Maître du feu, Montréal, Québec Amérique, 2004.

Les Voisins pourquoi, avec Louis Weyland, Montréal, Québec Amérique, 2006.

Les Jeux olympiques de la ruelle, avec Louis Weyland, Montréal, Québec Amérique, 2008.

LIVRE D'ARTISTE

De ma nuit naît ton jour, avec le peintre Bernard Gast, Montréal, Éditions Roselin, 2001.

MYTHOLOGIE ET ASTROLOGIE

Étoile-moi, Paris, Calmann-Lévy, 1987.

Sous le signe des étoiles, Paris, Balland, 1989.

Mille et mille lunes, Paris, Mercure de France, 1992.

Le zodiaque ou le cheminement vers soi-même, Saint-Jean-de-Braye, Dangles, 1994 (série de 12).

ALINE APOSTOLSKA

Un été d'amour
et de cendres

roman

LEMÉAC

Ouvrage édité sous la direction
de Maxime Mongeon

L'auteure remercie le Conseil des arts et des lettres du Québec
pour son soutien.

Photo de couverture : Kodda/Shutterstock.com

Leméac Éditeur reconnaît l'aide financière du gouvernement du Canada
par l'entremise du Fonds du livre du Canada pour ses activités d'édition
et remercie le Conseil des arts du Canada, la Société de développement
des entreprises culturelles du Québec (SODEC) et le Programme de crédit
d'impôt pour l'édition de livres du Québec (Gestion SODEC) du soutien
accordé à son programme de publication.

ISBN 978-2-7609-4214-1

© Copyright Ottawa 2012 par Leméac Éditeur
4609, rue d'Iberville, 1er étage, Montréal (Québec) H2H 2L9
Dépôt légal – Bibliothèque et Archives nationales du Québec,
2012

Imprimé au Canada

Il n'appartient pas à l'être humain
de sauver son frère de la mort.
Il ne peut que l'aimer.

MARIE-CLAIRE BLAIS, *Le jour est noir*

À tous les orphelins du
Tibetan Children Village

1.

On n'oublie jamais son premier amour. Quand, en plus, le souvenir du premier amour est associé à une catastrophe aussi horrible qu'injuste, non seulement on ne l'oublie pas, mais on s'en remet difficilement.

Près de trois ans se sont écoulés depuis cet épisode inoubliable de ma jeune vie, pourtant, mon sommeil continue d'être hanté de vapeurs fantomatiques provoquées par les calmants que le médecin m'a prescrits et que je continue de prendre de temps à autre. Au début, c'était tous les soirs, je ne pouvais pas dormir sans anxiolytiques. « Prendre des médicaments, ce n'est pas idéal, mais c'est moins dangereux que le manque de sommeil », avait décrété le pédopsychiatre, alors j'ai avalé, dormi, mon organisme, cette cathédrale de chair qui personnifie mon être, s'est reposé, et peu à peu, j'ai tenté de faire mon deuil. Y suis-je parvenue ? Pas sûr. Mon cœur ne s'est pas encore régénéré. Il m'arrive de penser qu'il ne guérira jamais tout à fait.

Me voilà pourtant à la veille de mon bal de finissants. Demain soir j'enfilerai ma belle robe, mon chum viendra me chercher et nous irons fêter la fin de nos études secondaires comme tous les autres jeunes de notre âge. C'est cela, sans doute, qui m'amène à repenser ce soir à ce qui est arrivé. Je ne suis pas comme les autres jeunes filles. Même si Mathieu m'aime et m'a toujours soutenue au cours de ces années noires, je ne peux m'empêcher de penser à Tenzin. Au moment où je m'apprête à entrer dans ma vie adulte, ma révolte et mon chagrin sont immenses, car je ne peux oublier que Tenzin n'a pas eu cette chance-là, que sa vie d'exilé tibétain ne lui a jamais offert la chance de penser à son avenir, encore moins celle d'envisager sa vie adulte, amoureuse, familiale ou professionnelle. J'avais quinze ans lorsque tout cela est arrivé. À présent j'en ai dix-huit, l'âge auquel Tenzin a choisi ce qui lui semblait être la liberté : en finir. Quitter pour de bon. Tout. Tous. Même moi.

J'aurai quand même réussi mes études secondaires. C'est presque un exploit si l'on considère que j'ai passé les trois dernières années dans un brouillard épais. À notre retour d'Inde j'ai erré, hagarde, dans la maison pendant des semaines, des mois de pleurs le jour et de cauchemars la nuit, de cauchemars diurnes et de pleurs nocturnes. Des heures d'abattement suivies d'heures de surexcitation, de cris de révolte et de jogging forcenés sur les bords du fleuve, sans ressentir ni fatigue ni soulagement. Des mois à prendre la mesure de ma peine dans le regard triste de mes parents. Leur constante sollicitude, le ton exagérément tendre de leurs voix, leur disponibilité permanente, le sourire qu'ils affichaient dès qu'ils me voyaient entrer dans le salon où, je le savais pertinemment, ils parlaient de moi, encore! soucieux, cherchant une solution, une activité, un projet, un « truc » en somme, une baguette magique qui me remette d'aplomb et me fasse redevenir la fille gentille et souriante que j'avais été durant toute mon enfance, moi « le petit soleil de la maison »… Les voir ainsi ne faisait qu'attiser ma colère et ma rage, tandis que ma culpabilité résonnait au diapason de la leur.

Colère. Grosse Colère. Les parents servent souvent de boucs émissaires simplement parce qu'ils sont là, dans la ligne de tir. Mais la responsabilité des miens dans mon malheur existait réellement. Ils ne le contestaient pas. C'était bien eux, avec leurs foutues idées humanistes, qui m'avaient entraînée dans cette galère indienne. Toujours à vouloir nous faire vivre de belles aventures, de nouvelles expériences, à lancer de nouveaux défis pour mieux « dépasser les limites de notre petit quotidien » et « sortir de notre zone de confort ». Combien de dizaines de fois ai-je entendu ces phrases toutes faites qui résonnent encore dans ma tête avec l'ineptie d'un slogan publicitaire? Eh bien là, bingo! Beau résultat! À vouloir m'extirper de «la couette des habitudes» ils m'avaient carrément mise en danger. Ils pouvaient bien ensuite vouloir me «réparer»! Comme si ma peine n'était que de la poussière et qu'il suffisait de souffler dessus pour qu'elle s'envole. Comme si c'était moi qui étais cassée. J'étais cassée, oui bien sûr, mais dans les circonstances, c'était une réaction plutôt saine. La mort se passe d'excuses et résiste à tout camouflage.

Et puis un matin, je me suis levée, j'ai pris une douche, ai fait mon sac, avalé un bol de céréales et me suis dirigée vers le collège. Comme ça. Probablement que je m'ennuyais trop chez moi même si mes amis, ma famille, et avant tout Mathieu, m'entouraient de leur affection et que j'aimais ma maison, une belle maison que mes parents ont édifiée en se préoccupant de mon bien-être, mais dans laquelle je me sentais étrangère. Je me suis donc mise debout et j'ai mis un pied devant l'autre. Il n'y avait rien d'autre à faire qu'à continuer. Continuer pour moi? Un peu, mais aussi pour Tenzin. Pour Tenzin, mort sans avoir vécu. Mort d'avoir cessé de croire que cela vaudrait la peine de continuer.

Au fil des mois, ma colère a diminué, mais elle n'a pas disparu. En y pensant ce soir, je me rends compte que j'en veux toujours à la terre entière. À mes parents qui m'ont emmenée là-bas. Aux Chinois qui ont envahi le Tibet. À tous les pays occidentaux qui font passer leurs intérêts économiques avant le sort des peuples. À l'Inde qui, tout en accueillant les Tibétains, leur interdit de s'intégrer dans le pays. J'en veux aux amis de Tenzin, à ses professeurs, à ses parents adoptifs, à tous ceux qui autour de lui ne l'ont pas vu glisser vers l'autodestruction, à moins qu'ils ne l'y aient précipité. J'en veux aux systèmes, aux institutions, à l'absurdité du monde, à Bouddha, Allah, Jésus, à Ganesha, Shiva, Kâlî, Tara et Manjushri, tous ces dieux bidons qui pavoisent dans les limbes en se bâfrant de chair humaine, vautrés entre deux nuages à ricaner des petits Terriens aveuglés par leur besoin de croire à quelque chose, quelque chose d'autre, de plus grand, de plus impérissable, de meilleur qu'eux, soi-disant ! Et puis tous ces charlatans de l'altermondialisme bien-pensant, tous des moralistes hypocrites ! J'en veux même au dalaï-lama, que j'adorais pourtant avant de me rendre sur son lieu de vie et de voir ces jeunes désespérer de lui. C'est ainsi. En grandissant Tenzin a perdu sa confiance en le dalaï-lama et la mort de sa confiance a entraîné la sienne.

J'en veux aussi à Tenzin. Bien sûr que oui. Son geste m'a montré que mon amour ne servait à rien, qu'il comptait pour du beurre. Mon amour ne valait guère plus qu'un morceau de beurre de yak rance que les Tibétains laissent fondre sur le thé salé brûlant. Il m'a abandonnée tel un filet de beurre à la surface d'un océan de larmes. Alors, je m'en veux à moi-même, pour m'être laissé traiter en beurre, pour avoir été bête, aveuglée, amoureuse au point de n'avoir pas compris à temps, de l'avoir laissé couler au fond de la tasse, puis d'avoir coulé avec lui.

Mais qu'est-ce que j'aurais pu faire? Qu'est-ce que j'aurais dû faire? Cette question ne m'a jamais quittée. Elle a tourné et retourné dans ma tête jour et nuit jusqu'à se figer net. Je ne sais pas pourquoi, mais un jour le tourniquet s'est rouillé et s'est arrêté net. Je me suis levée et j'ai repris ma vie. Depuis trois ans, matin après matin, je me suis levée, j'ai posé un pied devant l'autre, et c'est tout. J'ai marché. Je marche. Demain, j'irai au bal des finissants, je danserai. Je serai bien habillée, bien coiffée, et fière de moi aussi. Mathieu me tiendra la main et sourira à mes côtés. La vie me semble toujours insensée, mais c'est la vie quand même.

Je m'assois devant mon ordinateur. Aussi mécaniquement que tout ce que je fais. J'appuie sur les touches. J'écris. J'écris que je suis vivante.

2.

Sylviane, ma mère, a annoncé que nous allions séjourner dans la communauté tibétaine exilée dans le nord de l'Inde. J'ai bondi de joie autant que de fierté. Quel beau projet, me suis-je dit, quel courage, m'a dit ma grand-mère, quelle générosité, ont commenté mes amis et mes professeurs. J'avais le moral et l'estime de moi collés au plafond. Que ne ferait-on pas pour mériter l'attention et l'admiration des autres, hein ? Je pense qu'on se lance dans des actions humanitaires d'abord pour ce qu'elles nous apportent à nous-mêmes. Je ne crois pas aux sentiments purs, à tort peut-être. Je ne crois pas à la bonté sans ombre, à l'abnégation gratuite au seul profit de son prochain. Mes nombreux voyages dans des pays pauvres, qu'on nomme pudiquement « émergents », m'ont appris que si l'on veut vraiment aider les autres, les pauvres, les déplacés, les expatriés, les affamés, les sans-abri, tous ces « sans-place, sans-avenir » qui, malheureusement, ne manquent ni autour de nous ni ailleurs sur la planète, il faut commencer par dire la vérité.

Et, selon moi, la vérité c'est que ceux que vous aidez en font peut-être plus pour vous que vous n'en faites pour eux.

Concernant les Tibétains, exprimer cette vérité me semble encore plus primordial. C'est ce que j'ai compris en vivant auprès d'eux. Par-delà ma passion pour Tenzin, aussi brumeuse que les cimes de l'Himalaya qui l'englobaient, je crois avoir perçu, autant que possible, un peu de leur âme, du tumulte de leur sang, de l'horreur, surtout, que peut représenter la négation existentielle que constitue l'exil pour ce peuple traditionnellement matriarcal, nomade et guerrier. Une horreur qui va avec le fait qu'ils savent désormais ne pas pouvoir prétendre à rentrer un jour chez eux, dans un Tibet libéré. *Free Tibet ? No way*. Même le dalaï-lama, qui l'a compris avant son peuple, y a renoncé. La faute à la réalité, bien différente de ce que nous aimons nous répéter, ces poncifs qui nous rassurent en même temps qu'ils confortent nos valeurs occidentales. Nous nous accrochons à une idée exotique autant qu'idyllique des Tibétains parce que nous en avons besoin. Nous voulons croire que quelque part, malgré le malheur, il existe des êtres humains parfaits, gentils, souriants, pacifiques, qui, nourris de philosophie, savent se contenter de peu. Nous, qui avons perdu les sources de notre foi, ressassons de pareilles inanités, qui nous rassurent. Nos fantasmes sur la non-violence et le détachement bouddhistes, cela leur fait une belle jambe aux Tibétains ! Cela ne leur apporte ni moyens de subsistance ni reconnaissance. Nos illusions ne sont pas les leurs. Que faire alors ? Cesser, pour le moins, de mentir. Regarder la vérité en face. Et aimer. Les aimer tels qu'ils sont. Indigents, désespérés, en colère. Des humains imparfaits. Et parfaitement admirables.

Tenzin, je l'ai aimé. De toutes mes forces. On se comprenait, lui et moi, j'en suis sûre, par-delà la langue. Lui ne parlait que le tibétain, moi le français et l'anglais, nous ne pouvions donc pas nous parler. Si mes parents et moi avions vécu, ainsi que cela était prévu au départ, toute une année au sein de la communauté tibétaine de Dharamsala, j'aurais pu apprendre sa langue, et peut-être, alors, se serait-il confié à moi. Je me dis encore, je ne cesse d'y penser, que s'il avait pu me parler avant d'agir, s'il m'avait été possible de le comprendre, peut-être l'aurais-je sauvé. Mais non. Il a fallu que ce fût ainsi. Qu'entre nous n'existe que la langue du cœur, cette langue universelle, toujours compréhensible quand elle se mêle à celle du désir et des sens. Les mots, même les miens, auraient-ils pu le sauver vraiment ? Ou bien est-ce moi qui, avec des mots, me raconte des histoires, en quête, moi aussi, de consolation ? Je ne sais pas. Les mots en tout cas, nous ont lâchés. Leur absence aura creusé un fossé supplémentaire entre nous.

Les mots me manquent ici aussi. Trois ans se sont écoulés depuis le drame, sans que je puisse véritablement parler de tout cela avec mes amies. Mon désarroi demeure incommunicable, je suis sûre qu'elles ne comprendraient pas. Les filles de mon âge sont habituellement aux prises avec leurs histoires de *swag*, de jeans qui matche avec tel chandail et tels souliers, tel maquillage, tel gars, telle vedette, Justin Bieber ou Timberlake, *oh my*, on dirait qu'il suffit de s'appeler Justin pour leur faire tourner la tête ! Leur plus gros problème est de savoir quoi choisir entre les modèles de iPod, iPhone, iPad, les versions de iTunes, iMovie, leur compte Facebook ou eBay. Elles vivent dans un monde minuscule clos sur lui-même comme une coquille d'œuf, à l'abri de tout. De toute façon, je parie qu'elles ne savent même pas où est le Tibet, et encore moins ce qui s'y passe vraiment. J'en connais même une qui croyait que le dalaï-lama était un… lama !

Pourtant, je n'en veux pas à mes amies, au contraire. En fait, je pense qu'elles ont raison, même si je les trouve frivoles et égoïstes. Elles vivent comme des adolescentes normales de leur temps et de leur milieu. L'adolescence devrait être un temps d'insouciance, le dernier que l'on puisse s'accorder avant les problèmes et les responsabilités qui pavent l'âge adulte et souvent le plombent. C'est précisément cette insouciance qui a cruellement manqué à Tenzin, et qui manque, de toute façon, aux enfants et aux adolescents de tous les pays pauvres ou en guerre. Le problème ne vient pas de mes amies. C'est moi qui suis différente. Une parfaite candidate au rejet. Avec le genre de vie que mes parents m'ont fait vivre, depuis ma plus tendre enfance, c'est moi qui suis à côté de la plaque. Pas plus que Tenzin, je n'aurai vécu la légitime insouciance de l'enfance. Mes parents, ma mère en particulier, n'ont eu de cesse de vouloir m'éveiller au sort injuste dévolu à la majorité des habitants de la planète, et à la planète elle-même.

Avant que je naisse, ils avaient un plan de match pour moi, une idée précise de ce que je devrais être, les langues que je devrais parler, les valeurs que je devrais intégrer, les personnes que je devrais fréquenter et, surtout, le degré de conscience humanitaire que je devrais avoir, le plus tôt possible. Je suppose que tous les parents sont ainsi, plus ou moins, à esquisser le portrait-robot extérieur, mais aussi intérieur, de leur progéniture, et heureusement qu'ils le font, car sinon, contre quoi pourrait-on, éventuellement, se révolter, s'insurger ? Nous nous sommes tous construits ainsi, non ? À la fois avec et contre les héritages et les projections de nos parents respectifs, grâce à eux et malgré eux. Le pire, dans mon cas, c'est que mes parents n'ont jamais eu que de nobles intentions fondées sur des valeurs incontestablement admirables, le genre de valeurs qui vous font admirer de tous, vous font passer pour un être exceptionnel, for-mi-da-ble! *Hey*, Emma, t'en as une vie incroyable! Emma, tes parents sont tellement mer-vei-lleux! Sans oublier l'autre phrase, *La* phrase: Cool, Emma, chanceuse! Mesure ta chance ma p'tite!

Bon, j'exagère, je le sais. J'en rajoute parce que je souffre et que je suis en colère, particulièrement en ce soir d'avant bal où le souvenir de Tenzin vient me hanter. Bien sûr que c'est le *fun* de voyager, de rencontrer des êtres et de découvrir leur culture. Bien sûr que tout cela m'a sensibilisée à l'altérité et au partage, a développé ma curiosité, mon adaptabilité, mon autonomie, m'a *boosté* les neurones et l'audace, permis de voir l'inénarrable diversité de la beauté du monde. Ce sont des cadeaux, bien sûr, des cadeaux précieux, que mes parents m'ont offerts, ces amis du bout du monde avec lesquels j'ai correspondu, *hey*, Emma, c'est *chill* d'avoir des *chums* partout sur la planète! Oui. Effectivement.

Mais trop, c'est comme pas assez, et cette médaille, comme n'importe quelle autre, possède son revers. Vivre toujours sur le départ, dans les valises, les hôtels, les lointains, n'être jamais là, ou presque, pour les fêtes de famille, voir sa famille, ses amis de loin en loin, leur parler par téléphone plus souvent que face à face, et en prime devoir toujours tout recommencer à zéro après chaque retour chez soi, un chez-soi auquel on doit sans cesse se réadapter. Être toujours le mouton noir de service, étranger à l'étranger parce que précisément on l'est, mais étranger chez soi aussi parce qu'on ne vit comme aucun des siens, des proches qui vous semblent si lointains. Il y a eu tellement de fois où j'aurais juste voulu être comme tout le monde, avoir une vie normale, plate, tranquille et routinière, avec des parents moins exceptionnels, juste ordinaires mais rassurants, alors que les miens, qui m'ont ouvert tant d'horizons, m'ont aussi, je suis obligée de le dire, souvent insécurisée. *Hey,* Emma, il faut faire des efforts ! Eh ben, des efforts, j'en ai fait. Beaucoup. Et puis finis ton assiette, tu as vu combien d'enfants n'ont pas de quoi remplir la leur ? Combien de fois me suis-je sentie coupable, coupable d'être ou de ne pas être, de posséder, de savoir, de m'impliquer ou de ne pas le faire ? Avec Tenzin, je me suis impliquée, totalement, et ça a viré au drame. *Hey,* Emma, t'es vraiment cave, tu comprends rien.

La réalité tibétaine, son contexte, je les ai compris pourtant, j'en suis sûre ! Ce contexte injuste qui me révolte et que je ne parviens ni à avaler ni à oublier, je l'ai vu, vécu, mais je ne sais toujours pas si je suis vraiment contente que ce soit le cas. J'en ai souvent parlé avec Mathieu. Il dit que cette épreuve m'a certainement fait grandir, que j'en suis certainement sortie plus forte, même si je ne m'en rends pas encore compte. Il m'aime, Mathieu, et moi aussi je l'aime, je sais qu'il dit ça pour me faire du bien. Mais je ne sais pas si je parviendrai jamais à voir le côté positif de ce gâchis.

Mais revenons au début. Comment nous sommes-nous retrouvés là-bas, à Dharamsala ? Comme je l'ai dit, c'est Sylviane qui, comme dans la majorité de nos voyages, a donné le signal de départ, émue du sort de la communauté tibétaine exilée depuis 1959 dans le nord-ouest de la province indienne de l'Himachal Pradesh. Cette communauté vit autour de la figure tutélaire de celui qui fut, jusqu'à récemment[1], son chef spirituel et temporel, chef d'Église en même temps que chef d'État, Sa Sainteté le dalaï-lama alias monsieur Océan de Sagesse (c'est ce que signifie dalaï-lama). Après avoir assisté à de nombreuses conférences, rencontré des parrains d'orphelins tibétains et entretenu

---

1. En mars 2011, le dalaï-lama a renoncé à son rôle de chef politique pour redevenir un simple moine bouddhiste.

une correspondance assidue avec une des responsables du Men-Tsee-Khang (institut d'astromédecine tibétaine situé à Dharamsala), ma mère s'est mise en tête de se rendre sur place.

On l'aura compris, mes parents sont de belles personnes. Vraiment. De vrais idéalistes convaincus et convaincants. « La vie est impermanence, m'a répété Sylviane comme d'autres rappellent à leur enfant d'aller se laver les dents. Tout peut disparaître, mais aussi apparaître, à tout moment. » À huit ans, j'avais déjà parcouru la moitié du globe, dont une part sans m'en souvenir parce que c'était avant ma cinquième année. Au début, leurs voyages ressemblaient à ceux de touristes ordinaires, puis, avec les années, ils ont opté pour les missions humanitaires. Le Guatemala, le Pérou, la Somalie, le Laos, le Honduras puis Haïti, le Mali et le Rwanda.

Mes parents enseignent, Sylviane les mathématiques, Gilles l'anglais. Ils parlent plusieurs langues. Ils ont naturellement pensé à devenir coopérants tout en étant payés par le gouvernement canadien. Un certain confort dans l'impermanence. Lorsque maman s'est intéressée au sort des exilés tibétains, dont une large partie est constituée d'enfants orphelins qui souvent ont fui le Tibet et traversé à pied les hauts sommets himalayens jusqu'en Inde, leur projet de les aider s'est avéré assez simple à réaliser. Ils pourraient enseigner au sein du TCV, le *Tibetan Children Village,* où nous serions logés, moi avec les enfants, et eux avec les adultes. Car bien entendu j'allais les accompagner, la question ne se posait même pas. Le fait qu'ils viennent avec leur enfant a certainement joué en leur faveur. Peu avant Noël, nous avons reçu confirmation de notre installation au TCV en juillet pour une première durée d'un an. Je venais d'avoir quinze ans. Je débordais d'enthousiasme à l'idée de l'aventure qui nous attendait. Six mois durant, nous avons donc préparé notre voyage, ingurgitant lectures et médicaments, et nous pliant à un programme de vaccination. Enfin, début juillet, nos sacs sur le dos et nos belles idées dans la tête, nous nous sommes envolés pour l'Inde.

J'ai toujours cru que le goût du voyage et le désir d'aider des enfants constituaient les seules motivations de mes parents. Mais la réalité s'est avérée plus complexe. J'ai récemment appris qu'au fond, Gilles et Sylviane ne s'entendent que s'ils partagent un projet de voyage. Ils se connaissent depuis le primaire et sont capables de tout prévoir l'un de l'autre. L'impermanence chère à ma mère n'existait donc plus trop entre eux. L'impermanence, la surprise, il leur fallait la créer sans cesse. Leurs incessants voyages ont rempli cette fonction.

C'était apparemment le cas depuis le début de leur relation. Originaires de la même ville, mes parents avaient donc fréquenté la même école primaire publique, s'étaient éloignés pendant leurs études secondaires avant de se revoir au cégep, où ils étaient tombés amoureux et avaient vécu leur première histoire d'amour ensemble. Mais ça n'avait pas duré. Inscrits dans des universités différentes, ils s'étaient perdus de vue pendant plusieurs années. Les hasards de l'amour avaient voulu qu'ils se retrouvent, plusieurs années plus tard, en Europe, lors d'un voyage qui les avait respectivement menés, elle en Grèce et en Italie, lui en France et en Allemagne, avant que leurs destins ne se recroisent à mi-chemin, à Vienne.

J'adorais raconter l'histoire d'amour de mes parents, une histoire tellement originale et romanesque de laquelle j'étais porteuse, puisque j'en étais, en quelque sorte, l'incarnation. Marquée par les séparations et les retrouvailles, par le voyage aussi, leur relation, pour perdurer, exigeait un renouvellement perpétuel. Tous deux fanatiques de voyages, ils étaient convenus de voyager, mais aussi de vivre à l'étranger, le plus souvent possible, le plus loin possible, pour ne jamais s'engluer dans la routine du quotidien qu'aucun d'eux n'était disposé à supporter.

Une belle maison devant le fleuve, deux voitures, un grand jardin, une fille brillante, jolie, qui ne leur posait aucun souci, certes, ils possédaient tout cela. Mais alors que j'appréciais cette quiétude et cette sécurité, eux rêvaient d'ailleurs lointains. Le désir d'inconnu brûlait dans leur tête comme une boule de Noël.

Alors ils se sont organisés, mettant à profit leur emploi du temps de professeurs pour partir en voyage deux à trois mois par an, explorant la planète avec une indéniable préférence pour le continent asiatique. Ils ont vécu ainsi les dix premières années de leur mariage quand je me suis décidée à pointer le bout de mon nez, m'imposant dans leur vie comme un hasard heureux pas vraiment programmé. Qu'à cela ne tienne. S'ils voyageaient à deux, ils pouvaient bien voyager à trois. Durant toute mon enfance, tandis que mes amis partaient pour le Bas-du-Fleuve, le Maine voire la Floride, moi je sillonnais le monde avec mes parents. J'aurais peut-être préféré ne pas le faire. Si je devais le refaire par moi-même, je ne suis pas sûre que je le ferais. J'ai toujours été anxieuse devant la perspective d'un voyage, mais une fois partie, j'ai toujours trouvé ça formidable. *Hey*, Emma, c'est quoi ton pays préféré? Je n'ai jamais trop su quoi répondre. Moi, ce que j'ai toujours préféré, c'était les gens, rencontrer les gens, vivre avec eux, comme eux.

Jamais mes parents ne m'avaient parlé de leur histoire d'amour et jamais je n'avais perçu aucun problème entre eux. À ma grande stupéfaction, ma mère a récemment opté pour la complicité féminine, genre dans lequel elle n'avait jamais donné avant. Mais avant, j'étais une petite fille. Bien que majeure, je ne me sens pas encore tout à fait une grande personne, mais j'ai connu l'amour. Il y a eu Tenzin et maintenant il y a Mathieu, nous avons donc un terrain d'entente sur lequel échanger, Sylviane et moi. Nous soupions toutes les deux quand elle m'a soudain confié qu'elle avait parié sur ce voyage en Inde comme sur son ultime carte, la dernière éventuellement capable de sauver son couple. Elle comptait sur les vents himalayens pour souffler sur leur amour une bourrasque revigorante. Je l'écoutais, éberluée. C'est alors qu'elle m'a confié qu'à cause de tout ce qui s'était passé à Dharamsala, tout ce que mes parents et moi y avions vécu, ensemble et séparément, l'Inde, en définitive, avait achevé de les séparer.

Ce genre de voyage est toujours révélateur, a-t-elle murmuré. Je me suis sentie proche d'elle. Je savais bien que ça n'allait pas fort entre eux, je le savais depuis l'Inde justement. J'ai compris alors que malgré leur séparation, ils avaient fait l'effort de vivre sous le même toit, pour m'accompagner ensemble pendant ces trois années de détresse. Ils ont été là pour moi. Cette fois, ils m'ont fait passer avant eux.

Maintenant que je vais mieux, malgré tout, et puis il y a Mathieu aussi, que mes parents aiment bien, ils vont à nouveau pouvoir penser à eux.

L'Inde aura donc séparé mes parents en plus de me casser en deux. Au lieu de l'année prévue, nous n'y aurons finalement vécu que trois mois, dont deux et demi au sein du TCV, avant de rentrer en catastrophe. *Hey,* Emma, tu vas trop vite, on comprend rien. C'est vrai. Il faut commencer par le commencement. Et, au commencement, Emma vole de Montréal à Francfort, puis de Francfort à New Delhi. Elle fait un grand voyage.

3.

Nous sommes arrivés à Delhi au milieu d'une nuit de juillet. Cette première rencontre nocturne déterminera toutes les suivantes. Un hasard obstiné a en effet voulu qu'au cours de ce voyage, nous atteignions chacune de nos destinations de nuit. Or, en Inde plus qu'ailleurs, la nuit est synonyme de tous les dangers.

En juillet, c'est la mousson, la saison des pluies. La difficulté du climat avec lequel nous allions devoir composer s'est imposée à nous dès que nous avons franchi les portes tournantes de l'aéroport international Indira Gandhi, à Delhi. Au lieu d'avoir l'impression de sortir à l'air libre, nous nous sommes sentis plongés dans une étuve surchauffée. Instantanément, mon dos est devenu tel qu'il allait rester durant la totalité du séjour : une sorte d'éponge moite qui s'égouttait continuellement dans mes sous-vêtements et le long de mes jambes jusque dans mes souliers, des bottillons de randonnée que mon père m'avait achetés pour m'éviter de patauger dans les bouillons de microbes qu'étaient devenues les rues sous la pluie. Cette sueur poisseuse me démangeait, si bien que dès les jours suivants, je troquerai ces grosses chaussures contre de légères gougounes en plastique. Et ma mère fera pareil. Mauvaise idée. Allergique à toute forme de bibittes volantes, ma mère aurait dû se méfier, bien plus qu'elle ne l'a fait, des moustiques, ces *serial killers* de quelques nanogrammes, plus encore que de la lèpre, de l'eau contaminée, des coups de soleil insidieux sous le ciel nuageux, des poubelles à ciel ouvert et des bouses putrescentes, et peut-être même plus que des cobras qu'on ne rencontre quand même pas souvent, infiniment moins souvent que ces microscopiques vampires. Elle aurait dû, mais elle ne l'a pas fait, et du coup moi non plus… grave erreur dont je parlerai plus tard.

De mes voyages, j'ai appris combien les souvenirs restent marqués par les saisissements premiers, quand bien même ceux-ci sont par la suite soumis à l'affinement du temps, confirmés ou infirmés par l'ensemble du séjour. La première impression, pour une ville ou un être humain, est rarement fausse. Sans l'analyser, on capte un truc essentiel, qui va parfois déterminer la suite. Or ma première impression de Delhi se résume ainsi : j'ai été submergée par la violence, happée par un monde d'une brutalité diffuse, prégnante, une sensation d'intranquillité. Dans mon esprit s'est formée la pensée qui n'allait plus me quitter : l'Inde est une marmite en ébullition. Un tourbillon de coups de klaxons, de foules compactes au milieu desquelles errent des vaches sacrées – et parfois même des éléphants carapaçonnés de bijoux précieux –, de musique suraiguë crachée dans les rues par des haut-parleurs à pleine capacité. Hypnotique et fiévreuse, telle est la vie *Made in India,* régie par les lois rigides de tant de religions qui cohabitent et auxquelles tous se soumettent sans recul, accordant plus d'importance au culte des dieux qu'à la vie des humains, ou, du moins, certains d'entre eux.

En Inde, la vie humaine semble souvent peu de chose. Il faut se soumettre à ce qu'elle est telle qu'elle est : honorable, agréable ou innommable, vous l'avez méritée, pas question de la remettre en question, c'est la loi immuable du karma, un système de contrôle social travesti en foi. Si vous êtes né dans la caste supérieure des brahmanes, celle des hommes de foi et de prétendue sagesse, tout va bien pour vous, mais si vous êtes né dans la caste inférieure des intouchables, une sous-caste en fait, votre vie n'est que misère, humiliation et mépris, et ostracisme. Il ne reste alors qu'à attendre la prochaine vie qui, selon la logique imparable de la réincarnation, suivra automatiquement, meilleure ou pire encore.

D'emblée, presque instinctivement, j'ai refusé cette idée de réincarnation et de castes. Plus mon père m'expliquait, moins je l'écoutais. La révolte et la répulsion ne m'ont plus quittée.

Ma mère avait réservé une chambre dans un petit hôtel du Pahar Ganj, le quartier ancien de Delhi, un *ganj*, bazar, en plein air de l'artisanat indien traditionnel. De *ganj* en *ganj*, mes parents et moi avons vu la vie insouciante cohabiter avec la vie la plus dure. À Delhi, nous avons passé notre première semaine. Je posais mille questions à mes parents, tellement fiers de m'avoir extirpée de ce qu'ils appelaient « ma petite vie ». L'Inde m'apparaissait comme un trou noir entouré de statues de dieux enguirlandées de couleurs, c'était intrigant et fascinant. Je resterai médusée jusqu'au bout de notre voyage par ce monde contrasté, inoubliable.

Un jour que nous circulions en vélo-pousse, transportés par un petit homme famélique dont les côtes semblaient vouloir transpercer la peau à chaque fois qu'il forçait un peu sur ses pédales, Sylviane a voulu voir le fleuve. L'homme s'est engagé sur un pont, très loin des artères habituellement fréquentées par les touristes, et c'est ainsi que nous nous sommes retrouvés au milieu de ce qu'aucun de nous n'aurait imaginé possible.

Nous longions la Yamuna qui coule au milieu des quartiers des miséreux, une misère que je ne peux pas décrire avec des mots tant mes yeux en sont restés meurtris. Une misère synonyme de bidonvilles en bordure de l'eau, dans la poussière et l'absence de toute salubrité. La misère en gris, en gris partout. C'est la première chose qui a heurté mes yeux, la disparition de la couleur. L'Inde c'est la couleur, l'abondance de couleurs vives sinon criardes et agencées comme jamais nous n'oserions le faire en Occident. Là, la couleur avait disparu d'un coup, d'un seul. Aucune couleur dans ces quartiers d'intouchables échoués là, hors de la ville, au milieu des résidus gris des méfaits de leur vie antérieure synonymes dans cette vie-ci d'ordures et d'égouts.

Mes parents et moi étions choqués par ce que nous expliquait l'homme qui nous conduisait et qui lui-même était un intouchable. Par ses propos, il semblait non seulement se résigner à son sort, mais l'approuver : « Dans notre ancienne vie, nous étions des ordures, expliquait-il sans ciller, sur le ton dont on récite une leçon apprise, nous avons été des êtres nuisibles et devons à présent expier nos fautes en travaillant pour nettoyer nos méfaits et mériter une meilleure prochaine réincarnation. C'est la loi du karma, personne n'y échappe. » Mes parents et moi nous sommes regardés, saisis par ses paroles prononcées dans un anglais approximatif mais suffisant pour que leur portée nous atteigne et nous remplisse de tristesse.

Nous aussi, nous savons que nous devons faire face aux conséquences de nos actes. L'éducation nous l'apprend comme on nous apprend à nous laver les dents ou à changer de vêtements et à faire attention à ce que l'on mange. Si tu es en retard à l'école, que tu *foxes* les cours ou que tu racontes des méchancetés sur quelqu'un, ça va te retomber dessus, c'est sûr, c'est normal, mettons. Mais ça, ce sont des actes de ta vie actuelle, d'une journée ou d'un épisode de ta vie, tu peux te reprendre et voilà tout, tout le monde apprend de ses erreurs, on apprend d'ailleurs plus des échecs et des erreurs que des réussites. Mais là on parlait d'enfants, de nourrissons qui naissaient avec une tache sur leur vie, handicapés dès le départ par des actes soi-disant commis dans une vie précédente. J'hallucinais! C'était la première fois que je faisais ainsi concrètement face à la loi karmique de la réincarnation indissociable de l'hindouisme, mais ce ne serait certes pas la dernière, loin de là, ça deviendrait même la vision du monde, le principal message qui me serait martelé partout tout au long du voyage. Y compris chez les Tibétains dont la religion bouddhiste, issue de l'hindouisme, est également bâtie sur la notion karmique de la vie, mais sans système de castes. C'est moins mauvais, mais pas fondamentalement différent. Et puis en définitive, ce foutu karma sera fatal à Tenzin…

«Aucun étranger ne vient se promener par ici», expliquait notre conducteur, et nous nous en doutions bien. En nous voyant débarquer dans leur bidonville, nous trois grands Canadiens blonds dans un vélo-pousse, les intouchables sont aussitôt partis se cacher dans leurs cahutes de tôle et de carton. Une petite fille en haillons, tellement maigre que ses yeux semblaient des soucoupes volantes sous sa tignasse hirsute, restait là à nous regarder fixement jusqu'à ce qu'une femme, peut-être sa mère, accoure et, cachant vivement les yeux de la fillette avec la paume de sa main, la tire vers la cabane. Gilles, mon père, rangea prestement son appareil photo. Même si nous n'avions pas fait exprès de nous retrouver là, notre présence était indécente et il n'était pas question de les photographier. C'est ainsi que nous avons interprété le geste de la femme. Mais il n'en était rien : «Pas le droit de poser le regard sur d'autres personnes que nos semblables, expliqua notre guide, pas salir, pas salir…» J'en ai eu la chair de poule. Le regard qui salit! Des êtres humains dont la vie antérieure a été tellement sale qu'elle a le pouvoir de salir encore dans cette vie-ci, d'un seul regard… Emma, peux-tu croire une chose pareille? Non. Je ne prendrais pas ça, jamais.

Mes parents et moi avons immédiatement cessé de regarder dans leur direction. Les intrus, c'étaient nous. Nous n'avions vraiment rien à faire là. Nous avons soigneusement gardé les yeux baissés jusqu'à ce que le vélo-pousse nous emporte de l'autre côté du pont au-dessous duquel vivaient les intouchables.

De l'autre côté du fleuve s'ouvrait un tout autre monde, pas plus touristique, mais un monde dans lequel la couleur avait repris la place prépondérante qu'elle occupe en Inde. Nous étions en effet dans un quartier traditionnel conforme au vécu quotidien des Indiens de classe moyenne.

Après le pont, nous nous sommes retrouvés dans des rues «normales» où des Indiens vaquaient à leur vie ordinaire, lorsque ma mère a repéré un temple hindou et elle a voulu s'y arrêter. Le conducteur a secoué la tête en disant que c'était interdit, mais ma mère a insisté et s'est dirigée vers le temple. C'était un temple shivaïte, c'est-à-dire dédié au culte du dieu Shiva, comme nous allions en voir beaucoup d'autres lors de notre séjour. Lorsque le maître du temple a vu arriver ma mère, il est resté bouche bée. Que faisait cette femme en jeans et tee-shirt à la porte de son temple? Ma mère avait quand même pris le soin de couvrir ses bras et de dissimuler ses longs cheveux blonds dans un voile bleu, mais elle ne passait pas inaperçue. Et d'abord les femmes n'ont pas accès au temple, alors une Occidentale, n'en parlons pas! Dressé devant la porte du temple, le maître la regardait, le sourcil froncé, un doigt sur la bouche. Derrière lui, dans la cour, dans un silence recueilli, on apercevait des yogis assis en lotus sur des nattes de corde, en pleine méditation. D'un geste autoritaire de la main, il nous a ordonné de faire demi-tour. Ne sachant que faire, mal à l'aise lui aussi, le conducteur du vélo-pousse nous a dit de descendre et nous a laissés là, en plein milieu de la rue. Avisant une grille sur le trottoir d'en face, nous nous sommes dirigés mécaniquement vers elle. Un immense jardin luxuriant apparaissait à l'arrière. Nous nous trouvions devant un cimetière, ou plutôt, selon le rituel hindou, un lieu de crémation. Un lieu par excellence sacré et privé, et de surcroît, interdit aux femmes. Toutes les femmes, même les femmes indiennes, alors qu'est-ce que ma mère et moi faisions là?

Le gardien du lieu nous a regardés de la tête aux pieds, ahuri par notre présence. «Nous sommes perdus, dit mon père en anglais, nous voulons juste faire un tour dans le jardin…» Il a dit ça sans conviction, certain que le gardien allait nous dire de quitter les lieux. Mais celui-ci a continué à nous observer et, contre toute attente, après nous avoir intimé de garder le silence complet, il nous a laissés entrer. Un vrai miracle!

Dans la religion hindoue, un lieu de crémation ne peut se trouver qu'en bordure d'un fleuve, car on y lave le corps des défunts avant de le brûler, on y jette aussi les cendres ou carrément le corps que l'on envoie se consumer sur une sorte de radeau sur l'eau. Le fleuve, considéré comme une divinité féminine, lieu de vie et de culte, lieu de refuge pour les plus pauvres et dépotoir à ciel ouvert, est donc aussi lieu de jonction entre la vie et la mort. Nous le vérifierons plus tard, lorsqu'à la fin de notre voyage nous irons à Bénarès, «ville des morts», que les Indiens appellent Varanasi. Vie, mort, renaissance, ainsi coule le fleuve, dans les deux sens, du monde du visible vers celui de l'invisible.

À l'intérieur du cimetière régnait en effet un silence recueilli, ponctué par la lente litanie des mantras psalmodiés qu'une petite brise venue du fleuve répandait dans l'air. Un calme sans mélange nous envahit progressivement, une sérénité absolue à l'extrême opposé du brouhaha tonitruant de la ville. Extrême violence de la vie, extrême tranquillité de l'exuvie, voilà bien les deux versants de la vie, et nous basculions de l'un vers l'autre.

Au détour des allées, des fleurs multicolores mêlaient leurs effluves à l'enchevêtrement des arbres centenaires qui, de leur sagesse hiératique, semblaient protéger la fragilité de la vie humaine. Nous avancions à pas de loup, conscients d'être des intrus privilégiés. Nous ne croisions que des hommes dans ce lieu interdit aux femmes, celles-ci, mères, épouses, sœurs, etc., devant pleurer leurs morts chez elles, puis laisser les hommes porter le corps du défunt, enveloppé dans un simple linceul blanc, au lieu de crémation. Ce sont les hommes qui accomplissent le rituel mortuaire. Ils trempent la dépouille dans l'eau du fleuve pour la purifier puis l'installent sur un radeau de bois qu'ils déposent sur l'emplacement prévu à cette fin, sur lequel sont déposées des bûches auxquelles ils mettent le feu. Il faut deux cents kilos de bois pour brûler un corps adulte de corpulence moyenne. Lorsque le feu prend, le cortège des hommes s'installe, soit sur la rive, soit autour du bûcher, et regarde en silence brûler le corps. Personne ne parle bien sûr. Les hommes se tiennent assis là, habillés de blanc, couleur du deuil. Chacun est plongé dans une intense communion avec ses souvenirs, son chagrin, son sentiment d'abandon ou ses regrets. C'est une scène saisissante, empreinte d'une profonde, bien qu'improbable, sérénité.

Mes parents et moi nous tenions devant un temple situé sous des arcades. Six bûchers, aux braises encore ardentes ou déjà consumées, s'y trouvaient. Un nouveau cortège d'une dizaine d'hommes s'est approché, portant un corps emmailloté de blanc dont les contours de chair apparaissaient en transparence à travers le linge encore dégoulinant de l'eau du fleuve. Mouillé, le corps brûle plus lentement, prolongeant d'autant la cérémonie mortuaire. En préparant le feu, les hommes chantaient.

Lorsque le bûcher a été prêt, un des hommes – nous apprendrons plus tard qu'il s'agissait du fils aîné – a mis le feu à l'aide d'une torche. Tandis que le feu commençait à se répandre entre les bûches pour atteindre la dépouille, la cérémonie a débuté. Lentement, la tête baissée, le cortège des hommes s'est mis à tourner autour du corps qui commençait à brûler, jetant des offrandes de fleurs orange et blanches, se penchant de temps à autre pour prendre une poignée de cendres et s'en enduire le visage. Ça leur faisait comme un masque de cendres. Après avoir tourné sept fois, le fils aîné s'est saisi d'un petit marteau au bout de pierre conique et a frappé le haut du crâne de son père, laissant s'écouler une matière rose : le cerveau, ce centre des commandes terrestres qui ne servira plus à rien dans l'autre monde. Selon la religion hindoue, il a ainsi libéré l'âme afin qu'elle puisse retourner dans l'univers et, de là, se réincarner. Se réincarner en quoi ? En brahmane puissant, en intouchable miséreux ou en cloporte, de préférence de sexe masculin, car, dans toutes les castes, les femmes sont considérées comme inférieures aux hommes. Pourquoi? Parce que, de par leur seul fonctionnement organique (les règles, l'accouchement, l'allaitement, etc.), les femmes souffrent plus que les hommes. Or, dans l'hindouisme, le degré de souffrance infligé dans cette vie détermine l'appartenance à une caste ou à une autre, les castes inférieures souffrant, évidemment, le plus.

La cérémonie de crémation se poursuivait. Les hommes se sont assis autour du corps et, de concert avec nous, l'ont regardé se réduire en poussière. Une heure, deux heures se sont ainsi écoulées, comme une seule minute. Dans la nuit qui tombait, une longue flamme s'est élevée, jaillie de la matière organique incendiée. Une flamme immense, tel un phare dans la nuit, s'est mise à crépiter dans l'obscurité, dressée vers le ciel, magique, envoûtante, hypnotique.

Deux bovins, gardiens sacrés du lieu, qui se promenaient librement alentour, marchant au milieu des cendres froides, ont choisi cet instant pour se rapprocher l'un de l'autre, se sont léché le derrière et, sous nos yeux, se sont mis à copuler frénétiquement. Mes parents m'ont vu écarquiller les yeux comme des soucoupes, et ont porté leur main à leur bouche pour ne pas éclater de rire. Rire devant un cadavre ne se fait pas, et pourtant... La vie, le désir animal, l'âme qui s'envole dans un tourbillon de fleurs orange, les oiseaux à longue queue bleue qui volent entre les arbres centenaires, la mort qui devient un immense feu de joie, tout cela n'était que lumière, clarté pour éclairer le chemin de ceux qui restent. Jamais mon souvenir de Delhi ne pourra se détacher du souvenir de cette langue de feu dans la nuit.

Notre voyage se plaçait donc d'emblée sous les signes conjugués de la nuit, de la mort et des flammes. J'aurais dû me méfier. Mais j'en étais incapable. L'Inde m'avait en quelque sorte ravie, hypnotisée.

Dès la sortie de l'aéroport, mes sens s'étaient détraqués. L'ouïe, par l'omniprésence du bruit, strident, un vrombissement permanent et assourdissant. La vue, par le tourbillon des couleurs qui me faisaient presque tourner la tête. Le toucher, parce qu'il fallait sans cesse se méfier des microbes et veiller à ne rien toucher. Le goût, perturbé par la violence des épices qui incendiaient mes papilles. L'odorat, qui perd ses repères et finit par confondre émanations de pestilence et arômes d'encens. J'étais déboussolée, comme soudainement étrangère à moi-même. Perdue, et donc totalement perméable.

4.

À maintes reprises pendant ce voyage, nous avons eu accès à des aspects de la vie des Indiens, puis des Tibétains, que les étrangers ne voient habituellement pas. C'est aussi ce que je veux raconter ici. Ça a été le cas du camp de réfugiés tibétains de la ville de Simla, sur les premiers contreforts himalayens, notre première étape après que nous eûmes pris le train à Delhi en direction de l'Himachal Pradesh, à l'extrême nord-ouest de l'Inde. Un Tibétain, que le hasard avait placé dans notre wagon, nous pria d'aller porter un paquet à sa famille au camp de Kusumti, dans la vallée en contrebas de Simla. Mes parents acceptèrent volontiers cette première opportunité de contact avec la communauté tibétaine auprès de laquelle nous nous apprêtions à vivre un an durant.

Des familles entières s'entassaient dans des maisons de terre battue recouvertes de tôle, voire d'une simple bâche de plastique. Je me demandais où ces gens trouvaient la force d'être si gentils, si souriants, si accueillants, de parler encore de leur pays, le Tibet, comme d'un lieu de cocagne où ils retourneraient bientôt, de vouloir nous communiquer leur culture, et surtout de clamer leur attachement à celui qui incarnait leurs espérances autant que leur foi bouddhiste : le dalaï-lama. Sa photo trônait sur l'autel de prière présent dans chacune des maisons qui, en cette saison, étaient détrempées par la mousson, mais qui en hiver devaient être ensevelies sous plusieurs mètres de neige.

Leur hospitalité spontanée m'a marquée. Elle s'expliquait par le fait que nous apportions un paquet d'un des leurs, mais pas seulement. Je me souviens de la vieille Tibétaine qui nous a invités à boire un thé salé au beurre de yak (le premier d'une longue série !), leur boisson nationale. Elle n'avait qu'une seule tasse, alors sa voisine est accourue pour prêter les siennes. Notre visite représentait tout un événement. Assise dans un coin, je me sentais mal, avec mes jeans brodés, ma casquette NYC, mon tee-shirt Billabong, mes Converse et mon iPod rose que je cachais au fond de ma poche. Au lieu d'être heureuse de posséder toutes ces choses qu'aucun d'eux n'aurait jamais, il me prenait l'envie de m'en débarrasser. D'ailleurs, plus tard, au TCV, je donnerai le contenu de mon sac à dos à mes camarades de chambre pour me contenter des plus simples chandails et de deux pantalons de lin beige. Quand il l'a su, Tenzin m'a adressé un sourire qui valait toutes les fringues et tous les iPod du monde.

Dans ce camp de Kusumti, je ne me doutais pas que j'allais bientôt rencontrer l'amour, et à l'endroit le plus inattendu qui soit : dans un camp semblable à celui-là. J'observais notre hôtesse qui s'affairait autour de son poêle à bois pour nous préparer le thé. Lorsque j'ai porté la mixture à ma bouche, le goût âcre du thé salé recouvert de beurre rance m'a soulevé le cœur, alors, pour ne pas l'offenser, j'ai cru trouver un stratagème : j'ai fermé les yeux et avalé le breuvage d'un seul coup, sans respirer. À mon grand désarroi, elle interpréta ce geste comme une manifestation de gourmandise et se dépêcha de me resservir une pleine tasse ! Ma mère, qui avait observé mon manège, m'ordonna de boire la tasse sans discuter. Je m'exécutai, mais cette fois très lentement !

Au cœur du camp de Kusumti, comme dans tous les camps tibétains, se dressait un temple bouddhiste. Un véritable joyau qui avait dû coûter des centaines de milliers de dollars. Le temple constituait le centre spirituel de la communauté, le noyau d'identification religieux, et donc culturel. Le temple était prolongé par un monastère où vivaient cinquante à soixante moines entrés là dès l'âge de quatre ou cinq ans. Le temple rutilait, avec les tonnes d'or massif dont s'ornait sa coupole, brillant de toute la splendeur des peintures colorées qui tapissaient ses parois. Le directeur du camp nous a fait visiter le lieu avec fierté. «Tant que nous gardons le temple, expliquait-il, malgré l'exil, malgré l'extermination et les persécutions chinoises, nous existons.» Ce temple symbolisait aux yeux des Tibétains leur combat pour la survie. Mais mes parents et moi en restions ahuris.

Je savais mes parents farouchement opposés à toute religion, athées et fiers de l'afficher. Rétifs, surtout, comme bon nombre de Québécois de leur génération ayant grandi avec l'affranchissement religieux du Québec à partir du milieu des années soixante, à toute idée d'influence de la religion sur la vie quotidienne. Je me doutais qu'ils ne pouvaient sereinement accepter que les Tibétains engloutissent ces sommes colossales dans ces statues, alors qu'une petite partie seulement de cet argent – de cet or, en l'occurrence! – soulagerait notablement la misère des habitants. Pendant que nous visitions le temple, j'ai aperçu la moue sceptique qui figeait leur visage, mais ils n'ont fait aucun commentaire. Il ne s'agissait certes pas d'insulter nos hôtes.

Tandis qu'un *rickshaw* nous ramenait vers Simla, nous gardions tous trois le silence, fondus dans une communion tacite faite de tristesse, de compassion et de sentiment d'absurdité. Et de révolte. De révolte surtout.

Notre premier contact avec la réalité des exilés tibétains s'avérait rude, déconcertant, assurément très différent des balivernes qu'on avait voulu nous faire avaler avant notre départ. Ce que nous avions vu dans ce camp de Kusumti, c'était du pur désespoir, le tableau vivant d'une condamnation à la survie des plus iniques. Le désespoir, c'est violent, ça n'a rien de pacifique et encore moins de spirituel.

Du temps où l'Inde appartenait à l'Empire britannique, Simla était une station de villégiature fréquentée par la bourgeoisie anglaise qui prisait la fraîcheur des contreforts himalayens pour échapper à la canicule estivale. Malgré la mousson, on y respirait mieux que dans les villes telles que Delhi ou même Bombay. De grandes maisons de style colonial, vétustes et délabrées, se dressaient encore sur les hauteurs de la ville dont la dénivellation est éreintante. Grimper du *lower ganj* au *upper ganj* de Simla requérait un effort cardiaque et musculaire très éprouvant. Ma mère s'arrêtait régulièrement, le souffle court, au beau milieu du lacis de ruelles en pente raide. Pendant que nous faisions halte, nous étions dépassés par de petits êtres décharnés, qui s'échinaient, littéralement pliés en deux sous le poids des charges qu'ils transportaient sur leur dos, à la force improbable de leurs genoux cagneux et de leurs pieds nus. Tétanisé par ce spectacle, mon père ne put s'empêcher de les photographier, le plus discrètement possible. C'était des intouchables, bien évidemment, les porteurs appartenant à cette sous-caste. Leur vie, toute leur vie, de la naissance à la mort, consistait à transporter, sans doute jusqu'à en périr, les os usés jusqu'à la moelle, les fardeaux de ceux qui avaient hérité d'un meilleur sort à la loterie de la réincarnation.

Je les regardais passer, le cœur affolé par le sentiment de rébellion qui décidément ne me quittait plus. J'en avais vraiment plein mon chapeau! Entre tout ce que j'avais vu à Delhi et ce que je venais de vivre dans le camp de Kusumti, je n'en pouvais déjà plus, et notre voyage avait à peine débuté! Mes parents, d'un seul coup d'œil, comprirent mon état d'esprit. Lorsque nous atteignîmes l'ancien quartier anglais situé sur les hauteurs de Simla, attablés devant des Coca et du riz basmati aux épinards, mon père jugea bon d'entamer une conversation autour de la place de la religion dans la vie. Il voulait savoir ce que je pensais, pour simplement me permettre d'exprimer mes idées et mes émotions. «Que ferais-tu si la religion devait régir tous les aspects de ton quotidien?» demanda-t-il sur un ton qui se voulait détaché. Mais moi, je ne me sentais pas détachée du tout! En guise de réponse, j'explosai: «Il n'en est pas question! m'écriai-je. On n'est plus au Moyen Âge!» Ma mère me rappela que la religion catholique réglait absolument tous les aspects de la vie des Québécois il y a peu encore. «Pas la peine de remonter au Moyen Âge, précisa-t-elle. Chez nous, ça n'a jamais été aussi terrible qu'ici, mais… pas loin…»

Je l'avais souvent entendu dire, bien sûr, mais en vérité je n'en savais rien. J'avais du mal à concevoir que la société ait pu être totalement différente à peine quatre décennies auparavant. Dans mon entourage proche, personne n'en parlait jamais, ni dans ma famille, ni à l'école. Au primaire, j'avais bien suivi un cours de religion, au cours duquel nous discutions en fait de la vie au Proche-Orient, autour du bassin méditerranéen, à l'époque de Jésus, mais pour moi, c'était un cours d'histoire, d'ailleurs fort passionnant, et qui m'avait permis d'apprendre énormément de choses. En aucun cas il n'était question, ni pour moi, ni pour mes parents, et pas non plus pour mon professeur, de nous apprendre à croire. C'est ce que je dis à mes parents. «Personne ne peut t'apprendre à croire, me répondit mon père. Le mot *foi* signifie "croire sans preuve", ça veut donc dire que tu es libre de croire ce que tu veux selon ta conscience. Par exemple, être chrétien signifie textuellement que tu crois, sans preuves puisqu'il n'y en a aucune, que, lorsque Marie et ses deux compagnes sont venues pour embaumer le corps de Jésus au surlendemain de sa mort sur la croix, elles ont trouvé le tombeau vide – même si une grosse pierre en barrait l'entrée –, parce que Jésus est monté au ciel puisqu'il était le fils de Dieu. Tu as appris ça, non?»

Évidemment. Tout le monde connaît cette sorte de légende, pour tout dire, ou plutôt une allégorie, comme l'expliquait mon professeur. L'allégorie de la résurrection parmi d'autres allégories, celle de la multiplication des pains, celle de Jésus marchant sur les eaux, transformant l'eau en vin à Cana, ressuscitant son ami Lazare, etc. De belles histoires, certes, qu'on doit tous connaître, mais de là à y croire… «Mais on n'est pas obligé de croire que Jésus est ressuscité! répondis-je. On peut penser que quelqu'un a déplacé le corps. On n'en sait rien, de toute façon, on ne sait même pas où est son tombeau d'abord!» Mon père approuva ma réaction: «Oui, Emma, exactement! C'est exactement ça. Ceux qui croient que le tombeau était vide parce que quelqu'un a déplacé le corps – peut-être les soldats romains qui gardaient l'entrée de la grotte ou je ne sais qui, peu importe… –, ceux-là ne croient pas en la résurrection et donc ne sont pas chrétiens. En revanche, ceux qui croient que le tombeau était vide parce que Jésus, le personnage historique qui a réellement existé, est devenu Christ, Sauveur fils de Dieu, ceux-là sont chrétiens.

Tu comprends? C'est simple.» J'acquiesçai. «Et alors, poursuivit-il, quel est ton avis à toi, pourquoi crois-tu que le tombeau était vide?»

Je regardai mes parents tour à tour. On ne m'avait jamais expliqué les choses aussi clairement et, surtout, on ne m'avait jamais posé cette question, pourtant, c'est bien la seule question centrale du christianisme. Je réfléchissais, les sourcils froncés, quand mon père me dit: «Non, Emma, non! Il n'y a pas à réfléchir, justement! La foi c'est un truc spontané, tu y crois ou non, c'est immédiat et inexplicable. Tu y crois ou tu n'y crois pas, c'est tout.» Ben non, je n'y croyais pas. Pas du tout. Je ne savais pas pourquoi le corps n'était pas là, mais je savais que jamais je ne croirais que c'était une preuve de «résurrection»… Je l'affirmai clairement à mes parents, qui eurent l'air de m'approuver: «Bien, dit mon père, c'est ton droit absolu. Mais si tu y avais cru, et même si nous on n'y croit pas, tu aurais eu le droit pareil. La foi est une question intime, secrète même, tu n'as pas à t'expliquer dessus, du moment que tu ne viens pas troubler la vie des autres avec ça et que tu ne vas pas obliger les autres à croire avec toi. En tout cas, dans nos sociétés occidentales, c'est comme ça maintenant. Ta foi, c'est ton problème, ton choix, mais l'espace public doit rester neutre, laïque, pour garantir la liberté et aussi la paix. Hein, tu sais ça? Dès qu'on impose une croyance, ça devient violent, c'est la guerre ouverte, comme au temps de nos ignobles croisades... Tu comprends ça, Emma?»

Ben oui. Je comprenais. On nous le rabâchait tout le temps d'abord, et de toute façon, ça me paraissait juste normal. Garde ta foi pour toi et viens pas m'achaler avec ça, oui, c'était bien la façon d'aborder le sujet qui me semblait non seulement normale, mais la seule vivable jusque-là. Jusqu'à ce que j'arrive en Inde et que je voie les religions réglementer chaque détail de la vie des habitants, jusqu'à imposer s'ils sont dignes de vivre comme des rois ou de crever comme des rats d'égouts, de vivre dans des taudis ou de servir dans des temples en or!... Mes valeurs en étaient toutes chambardées.

J'ai compris que c'était une chance que d'avoir le choix. Après tout ce que l'on voit sans cesse sur la façon extrémiste et sanglante dont certains vivent leur religion dans le monde, et souvent tout à côté de chez nous, je me sentais vraiment privilégiée. Ni les Indiens, de quelque religion qu'ils soient, et il y en a tellement – cinq mille dieux juste dans le panthéon hindou! –, ni les Tibétains, ni beaucoup d'autres peuples dans le monde aux prises avec d'autres religions, n'ont, eux, cette liberté de décider, en conscience et en secret, que la religion régisse, ou ne régisse pas, tous les aspects de leur existence, jusqu'à leur conception de l'amour et de la façon dont ils vont le vivre. «Et ne crois pas que ce soit juste ici, ou juste dans certains pays! insista ma mère. L'intolérance est partout, Emma, partout!» Je baissais la tête. Je ne le savais que trop. On le sait tous. Nos journaux, nos écrans de télévision, nos pages Facebook en sont saturés. Ce que je voyais là, sous mes yeux, en Inde, ne constituait qu'une sorte de gros plan. C'était là, devant moi, et non derrière l'abri d'un écran, et c'est pour cela que je le vivais si mal.

«Pourquoi vous ne m'avez pas fait baptiser au fait?» demandai-je à mes parents. Nous n'avions jamais parlé de religion, mais puisque les robinets avaient été ouverts, autant tarir le sujet. Mes parents parurent étonnés: «Mais… parce qu'on n'est pas croyants, dit ma mère, tout simplement.» Des tas de gens ne sont pas croyants et font quand même baptiser leurs enfants, par habitude, par tradition, pour faire plaisir à la grand-mère ou pour ne pas choquer les voisins du village… alors? Mais ce n'était en effet pas le genre de mes parents: «Jamais de la vie! rétorqua ma mère. Ça ne regarde personne d'abord, c'est ce qu'on vient de t'expliquer! Et puis on s'est dit que, quand tu serais en âge de décider, tu le ferais, tu pourrais devenir ce que tu veux, chrétienne ou musulmane ou bouddhiste ou animiste, agnostique, que sais-je encore, à toi de voir!» C'était tout vu. La question, me concernant, était close. J'étais athée. J'étais contente, cependant, et d'une certaine façon soulagée, que cette discussion ait eu lieu avec mes parents.

Personne n'échappe aux fondements de sa culture. La nôtre est judéo-chrétienne jusque dans nos actes, us et coutumes, jusqu'au crucifix accroché dans l'Assemblée nationale. Il ne s'agit pas de l'ignorer et encore moins de feindre que ce fondement judéo-chrétien n'existe pas, car c'est alors qu'on en devient victime. Ceux qui ignorent les textes religieux, leurs valeurs et leurs symboles, constituent les premières proies, les plus faciles, pour les extrémismes de tout acabit. Qui ne sait pas ce qui est écrit gobe ce qu'on lui dit qu'il est écrit. Par exemple, dans le Coran, il n'est nulle part question du port du voile. Dans le Coran il n'y a pas trace d'obligation du port du voile pour les femmes, mais il y est évidemment, comme dans tous les textes sacrés, interdit de tuer son prochain, et encore moins d'appeler à la guerre sainte… alors? Seuls ceux qui n'ont jamais lu le Coran affirment le contraire. Pour des raisons indépendantes de la religion, ils ont besoin de le croire et se gardent bien d'aller vérifier dans le texte. «On parle beaucoup de l'islam en ce moment, me dit ma mère, mais ne pense pas que ce soit différent dans les autres religions, tu te tromperais… Pendant les Croisades, les catholiques ont commis les pires exactions, sous prétexte que la croisade était inscrite dans la Bible. Or, à cette époque, au XIe siècle, quatre-vingt-dix-huit pour cent des gens étaient analphabètes, ils n'avaient pas idée de ce que disait la Bible, il était simple de leur faire croire une chose, ou son contraire. N'oublie pas, Emma, hein ? Si quelqu'un te dit "c'est écrit", tu dois te méfier, et vérifier. Tu t'en souviendras ? »

Ma mère avait pris ce ton professoral qui m'agaçait. Mais à propos de l'islam, elle avait raison, je le savais. J'avais déjà vu vivre un islam heureux. Pendant un long séjour dans un village berbère au Maroc, dans la vallée de l'Ourika située sur les contreforts du Moyen-Atlas, durant vingt-huit jours de ramadan mes parents et moi avions vu des croyants sincères, nourris positivement par leur foi, qui priaient cinq fois par jour avec une sorte de lumière, de quiétude, sur leur visage. Leur religion manifestement leur apportait la paix et le sens du partage. La nuit c'était la fête et la religion assurait, autour de leur imam, de son épouse et de leurs nombreux enfants, la cohésion et la solidarité entre tous les habitants, pour la plupart bergers, ferblantiers et potiers. Eux-mêmes dénonçaient le fanatisme de certains. Il en fut de même en Turquie, dans le désert anatolien jadis propice aux anachorètes chrétiens, lorsque nous avons vécu parmi des soufis, des mystiques musulmans poètes et danseurs. De vrais sages pétris d'œcuménisme bienveillant. Tous ces gens me semblaient alors appliquer ce qu'ils avaient choisi de croire, contrairement à ce que l'on observait en Inde, où les religions me semblaient synonymes de contraintes, d'injustices et de souffrances. C'est ça qui me dérangeait, qu'on puisse ainsi ployer sous des dogmes imposés par des lois non écrites. Car dans la Bhagâvat-Gîtâ, texte fondateur de l'hindouisme, long poème épique d'amour et de sagesse, il n'est pas plus question que dans la Bible chrétienne, la Torah juive ou le Coran musulman de souffrances, de guerres et de tueries. Mes parents avaient raison : les textes sont une chose, la façon dont les humains les appliquent en est une tout autre. Je devais bien admettre que la drôle de vie que mes parents m'avait fait vivre m'avait un peu ouvert les yeux. C'était toujours ça de gagné.

En face du restaurant où nous mangions tout en discutant ondulait une banderole usée, et à moitié déchirée, sur laquelle on pouvait encore lire *1947 – 2007 60 Years of Independence* avec en dessous la même inscription en hindi. Mes parents virent l'inscription et échangèrent un regard entendu : « Le hasard fait bien les choses ! » dit ma mère avant de m'expliquer ce qu'elle entendait par là.

C'est justement à Simla qu'a été signée
la proclamation d'indépendance de l'Inde
le 15 août 1947, entre l'Empire britannique
contraint de l'accepter, Jawaharlal Nehru, chef
du Parti démocratique du Congrès qu'il avait
créé avec le Mahatma Gandhi, et Muhammad
Ali Jinnah, chef du Parti islamique qui avait
obtenu la création simultanée du Pakistan
après avoir imposé la partition des musulmans
et des hindous de l'Inde, les musulmans
devant migrer vers le nord, vers le nouveau
Pakistan, les hindous demeurant sur place
avec les adeptes d'autres religions. Gandhi
n'y était pas. Gandhi ce jour-là jeûnait,
accablé par un sentiment d'échec. Lui, l'ex-
avocat dandy britannique formé à Londres
puis en Afrique du Sud, mari et père violent
(renié pour cela par son fils aîné) qui s'était
repenti et avait institué le mouvement de
non-violence, lui le combattant pacifique
qui avait mené la marche du sel et imposé
le rouet à filer le coton comme symbole
de l'indépendance nationale (le rouet de
Gandhi trône toujours au centre du drapeau
indien), lui qui avait en horreur des tensions
religieuses qui conduisaient aux massacres,
avait jusqu'au bout combattu cette idée de
partition, essayant de convaincre Jinnah qu'il
ne fallait surtout pas dresser les Indiens les uns
contre les autres pour des raisons religieuses.
Il avait échoué. Il n'avait pas pu empêcher la

partition. Les Britanniques, de guerre lasse, avaient entériné la création du Pakistan (dont le nom signifie «le pays des purs», ce qui est en soi une déclaration de guerre, car cela sous-entend que les autres, les non-musulmans, sont «impurs») et de l'Inde, État à majorité hindoue qui comptait aussi des sikhs, des jaïnistes, des bouddhistes et autres chrétiens...

«Au matin de la signature du traité d'indépendance, poursuivit mon père, Gandhi a annoncé sur toutes les radios et télévisions venues le questionner que c'était le pire jour de sa vie et qu'au lieu d'être heureux, il était en deuil. Malheureusement, il ne savait même pas à quel point il disait vrai. Durant le mois qui a suivi la création de l'Inde indépendante et du Pakistan, la partition a eu lieu. Des millions d'Indiens se sont jetés sur les routes, en charrettes ou à pied, les musulmans refluant vers le Pakistan au nord, les hindous descendant vers la nouvelle Inde au sud. Il y eut des massacres, un million de morts en raison des haines religieuses. Et Gandhi lui-même a été assassiné peu de temps après par un fanatique hindou qui lui reprochait de n'être pas assez... intégriste! C'est la triste réalité...» Nous avions visité le Musée Gandhi à New Delhi. J'en étais repartie avec une biographie de celui que les Indiens appelaient toujours «le père de la nation» et je me promettais de la lire bientôt.

Il n'y avait rien à ajouter. L'Inde, marmite bouillonnante, m'apparut soudain comme un laboratoire d'observation de tous les excès liés à l'interprétation et à l'application des croyances religieuses. Une chance que mes parents soient enseignants et qu'ils sachent expliquer les choses posément! J'avais l'impression d'avoir pris un cours d'histoire en accéléré, et heureusement, car nos voyages m'avaient appris que si vous ne connaissez vraiment rien des lieux où vous allez, vous êtes faits!

Après cette longue discussion, nous sommes rentrés à l'hôtel sans mot dire. J'ai eu bien du mal à m'endormir, et pas seulement parce que l'humidité de la mousson rendait les draps moites. Longtemps je repensai au sort des intouchables, à la vieille dame tibétaine de Kusumti, à Gandhi désespéré le jour même de sa victoire politique synonyme de défaite humaine. Je finis par couler dans un sommeil agité.

Le lendemain matin, nous sommes montés dans un autobus cahoteux (un Tata évidemment, Tata en Inde, c'est comme Cadillac en Amérique du Nord : une institution incontournable). Il nous a fallu dix heures pour effectuer les deux cent soixante kilomètres qui séparaient Simla de Dharamsala, le long d'une route qui tournoyait sans arrêt parmi de vertigineuses vallées, sous un soleil accablant ponctué par des rafales de pluie chaude, qui formaient un brouillard dangereux sur le chemin de terre qui montait sans cesse en lacets. Et le conducteur, blasé, ne ralentissait pas. Je n'avais rien avalé, mais ne cessais de vomir.

À bout de nerfs, et de bile, nous atteignîmes enfin ce qui constituerait notre lieu de vie pour les mois suivants : Mac Leod Ganj, ou *Upper Dharamsala,* la ville haute juchée à 1700 mètres, au-dessus du village indien de Dharamsala, un kilomètre plus bas dans la vallée. Depuis 1959, Mac Leod Ganj et son parlement autonome constituaient l'épicentre politique et religieux de la communauté tibétaine en exil autour de son chef spirituel et temporel : Tenzin Gyatso, le quatorzième dalaï-lama.

Une fois de plus, nous arrivions en pleine nuit. En descendant de l'autobus, je ne me doutais pas que dans ce village m'attendait un autre Tenzin, mon Tenzin, et que ma vie allait changer.

5.

Je dois d'abord vous présenter la configuration de notre lieu de vie. C'est l'Himalaya, donc le tout est réparti en quatre lieux situés à quatre niveaux accrochés à flanc de montagne, séparés les uns des autres par des centaines de mètres de dénivellation, que tous, ou presque, bien qu'il y ait des taxis et des *rickshaws* pour les touristes, franchissaient à pied, au prix de rudes efforts.

Dharamsala n'est donc pas une seule ville compacte, mais comprend quatre parties : 1. La ville de Dharamsala elle-même est située en bas. C'est en fait une ville indienne où vivent des Indiens et pour ainsi dire aucun Tibétain, d'autant qu'Indiens et Tibétains, pour la plupart, se haïssent. 2. Cinq cents mètres au-dessus se trouve la zone centrale – qui accueille gouvernement, temples principaux, lieux de savoir et d'enseignement : les bâtiments du gouvernement tibétain en exil, le temple de Nechung et sa bibliothèque, l'Institut tibétain de médecine et d'astrologie appelé Men-Tsee-Khang, et juste à côté le Ü-pel

House, pension où sont logés les étudiants en médecine et aussi quelques touristes privilégiés comme mes parents qui vivront là, ma mère prenant ses cours avec l'astrologue du dalaï-lama, elle et mon père allant étudier la philosophie bouddhiste à la bibliothèque. 3. Au-dessus encore, la ville haute de Mac Leod Ganj ou *Upper Dharamsala*, la ville tibétaine, sans aucun Indien, est bondée de touristes ordinaires, de boutiques et de restaurants, et donc, inévitablement, de tous les lépreux qui comptent sur cette faune pour survivre le plus de temps possible. 4. Par-delà la forêt enfin, on atteint le *Tibetan Children Village* (TCV), village exclusivement peuplé d'orphelins tibétains, des nourrissons aux adolescents jusqu'à dix-huit ans, leurs maisons, leurs écoles ou garderies, leur propre temple, leur théâtre, leur bibliothèque et leurs terrains de sport. Je vivrai là, parmi eux. Mes parents y enseigneront, feront donc chaque jour le chemin entre le Ü-pel House et l'école du TCV, une petite balade de santé en à-pic à travers la forêt sous la pluie.

La première nuit, je n'ai évidemment rien vu de tout cela. Il faisait noir et dès que le taxi branlant, après une conduite effrénée dans les sentiers détrempés, nous eut *pitchés* avec nos bagages devant la grille du Ü-pel House, j'avais à peine regardé la petite chambre où vivraient mes parents que déjà je sombrais dans un sommeil bien mérité. Quel long périple pour arriver enfin là, au milieu de ces immenses montagnes dont la masse sombre se dressait devant le lit où je me suis écroulée tout habillée! Je me souviens juste que l'air était frais et sentait bon. Après cet interminable voyage (nous étions, mine de rien, à quelque dix-huit mille kilomètres de chez nous), ça m'a fait le plus grand bien.

Le lendemain, il était presque midi lorsque je me suis ébrouée, étirant mes membres endoloris par le périple en bus. Après une brève toilette à l'eau froide, je suis sortie de la chambre à la recherche de mes parents. Il faut s'imaginer le paysage. Pas deux mètres au même niveau. Tout est tout le temps en pente et chaque construction est donc en étages. Du balcon de l'hôtel, j'ai aperçu mes parents au-dessus de ma tête, au restaurant du Ü-pel House. Disons que restaurant est un grand mot : plutôt un petit café avec trois tables recouvertes de plastique et des bancs autour, mais dont le propriétaire et le cuisinier se montraient toujours *cools* et prévenants. J'ai descendu l'escalier de la pension pour remonter vers le restaurant. J'ai vu mes parents discuter avec un jeune homme de dos. Ma mère m'a fait un signe de la main et le jeune homme s'est alors retourné vers moi.

Je n'ai plus vu que lui. Son sourire éclatant, son visage aux traits fins, deux fossettes qui creusaient ses joues et faisaient un pli sous son nez, petit et droit, ses prunelles très sombres au centre desquelles dansait une lueur mordorée, un regard franc mais comme voilé de timidité, une retenue, un mystère qui, j'allais bientôt le découvrir, recelait de la tristesse. Nos regards se sont croisés et j'ai reçu une décharge à la nuque, comme si la foudre avait dégringolé sur moi. C'est vrai, oui, exactement comme dans les films! Une salve d'électricité! Il m'a tendu la main avant de baisser le regard. Mais j'avais eu le temps de le voir rougir.

Mon père m'invita à me présenter. «*Am Emma*», j'ai dit avec une voix étranglée par l'émotion, et lui, sans lever les yeux, a lâché «*Me Tenzin*». «Il ne parle pas l'anglais, précisa mon père. Je vais avoir du boulot s'ils sont tous comme lui.» Il me parut petit pour son âge, sans doute aussi à cause de sa minceur, mais quand, plus tard, nous avons marché côte à côte, j'ai constaté qu'il me dépassait d'une bonne tête.

Pour la première fois de ma vie, je me suis sentie tétanisée. Je m'assis à côté de ma mère et face à lui. Il tenait toujours les yeux baissés et souriait tout le temps, pour cacher sa gêne et aussi parce que ça lui évitait de parler. Mon père commanda deux *pancakes* à la banane, évidemment sans sirop d'érable, et tandis que Tenzin et moi mangions de bon appétit, il demanda au patron de servir d'interprète pour engager la conversation. Tenzin mangeait le menton baissé, mais quand il répondait aux questions de mon père, il relevait la tête et en profitait pour me jeter des regards furtifs. Chaque fois, mon cœur s'emballait, résonnant si fort dans ma poitrine que je croyais que tous l'entendaient.

Il expliqua à mes parents qu'il était venu nous souhaiter la bienvenue au nom de l'*amala* (la mère) et du *pala* (le père) de la maison numéro deux du TCV dans laquelle je logerais, et dont lui-même faisait partie, ce qui me fit très plaisir évidemment ! « C'est très aimable et amical », dit mon père, et Tenzin le gratifia d'un autre grand sourire dès qu'il entendit la traduction. Il dit que c'était un honneur et que tous nous attendaient avec impatience. Pour se rendre au TCV, il fallait traverser la forêt en suivant un long chemin escarpé. Il était venu pour nous guider. Je mastiquai lentement quand quelque chose me frappa soudain. Autour de nous régnaient le silence et la quiétude. Ça changeait du perpétuel brouhaha des villes indiennes !

Tenzin releva le menton et osa me regarder dans les yeux. Il prononça une phrase que je ne compris évidemment pas. « Il propose de vous montrer les environs, traduisit le patron tibétain, il veut vous servir de guide. » Ma mère sourit et répondit à ma place que c'était une bonne idée. Mes parents devaient défaire les bagages et séparer leurs affaires des miennes que je devrais emporter avec moi au TCV. «Vas-y si tu veux, me dit-elle, retrouvons-nous d'ici deux ou trois heures.» Tenzin me souriait à pleines dents et je ne pus m'empêcher d'éclater de rire : un morceau de banane était resté collé sur une de ses dents. C'était niaiseux de rigoler pour ça, mais j'étais tellement surexcitée que ce rire me permit de lâcher un peu la pression. C'est ainsi que nous sommes partis pour notre première promenade à laquelle succéderaient tellement d'autres.

6.

Tenzin m'entraîna vers un chemin, plus pentu encore que les rues de Simla, qui descendait à pic vers le village indien de Dharamsala. Nous aurions pu prendre la route d'asphalte par laquelle nous étions arrivés la veille au soir en autobus, mais elle était trop longue et empruntée seulement par les véhicules. Les piétons, eux, passent par ce chemin escarpé pour aller plus vite, mais aussi pour le plaisir de traverser la superbe forêt, au milieu de cet écrin tapissé de touffes de déodars, variété locale de cèdres, de rhododendrons géants et de chênes himalayens. Cinq cents petits mètres, suffisants cependant pour changer totalement d'environnement, de culture, de nourriture, de langue et, bien sûr, de religion, entre l'hindouisme des Indiens de Dharamsala et le bouddhisme des Tibétains de Mac Leod Ganj.

Sortant de la forêt, nous débouchâmes dans le village indien avec ses habitations hétéroclites et retapées, ses échoppes d'où s'exhalaient des odeurs alléchantes ou lourdes, ses ferblantiers affairés à marteler des métaux pour fabriquer des objets usuels en plein milieu de la rue, sa banque aussi, reconnaissable à la longue file d'Occidentaux qui attendaient de changer leurs devises en roupies – se trouvant riches d'un coup car, en Inde, sauf dans les grandes métropoles, on peut bien vivre avec un ou deux dollars par jour –, les boutiques de souvenirs, les temples hindous, le marché et les grappes d'enfants rieurs qui rentrent de l'école dans leur uniforme bleu marine et blanc.

Tenzin tentait de m'expliquer certaines choses en baragouinant quelques mots d'anglais, mais j'en comprenais plus grâce à ses gestes. J'étais aux anges. Je marchais comme sur des coussins d'air qui n'étaient pas que ceux de mes Nike neuves. Je sentais le regard intense de Tenzin posé sur moi, mais je voyais aussi le regard insistant des villageois posé sur nous. Drôle de couple ! Que faisait cette grande fille blonde au teint pâle et au regard vert avec ce Tibétain frêle et basané, elle toute rutilante et sentant la touriste à plein nez, lui visiblement pas à sa place, les yeux au sol ?

Je m'étais habillée comme j'avais l'habitude de le faire, avec mes jeans *skinny* taille basse, un chandail moulant blanc sur lequel j'avais enfilé une camisole fuchsia à bretelles spaghettis. Lui portait un pantalon informe et délavé, un tee-shirt vaguement gris élimé par les lavages, et de vieilles chaussures noires. Voyant qu'on nous scrutait, il rangea son sourire. Je me sentis d'un coup très mal à l'aise. J'apprendrai bientôt que les Indiens haïssent les Tibétains auxquels le gouvernement indien a donné, à la suite du dalaï-lama en 1959, un statut de réfugiés contre l'avis de la population, laquelle trouve qu'elle a déjà assez de problèmes et de pauvreté pour en accueillir encore d'autres. De fait, nulle part, et moins encore à Dharamsala, je ne verrais Tibétains et Indiens se mêler. Je sentis cela dès le premier jour, là, en me promenant dans la petite ville indienne aux côtés de Tenzin. Je lui demandai de remonter vers Mac Leod Ganj.

En revenant vers la forêt, nous sommes tombés sur le quartier des intouchables. Je me souviens des enfants, qui ne vont ni à l'école ni au temple et osent à peine sortir dans la rue, qui travaillent dès l'aube à laver les habits des autres, ou à construire leurs maisons, les filles et leurs mères portant des briques sur la tête ou dans leurs bras frêles, les garçons et leurs pères assemblant les briques pour élever des murs, jamais aussi hauts que les murs invisibles qui les séparent, eux, du reste de la société civile par le seul hasard de leur naissance, ce qu'ils nomment karma. J'aurais aimé en parler avec Tenzin, savoir ce qu'il en pensait, savoir si dans le bouddhisme tibétain existent aussi des castes.

En suivant le sentier escarpé, nous sommes retournés vers le niveau intermédiaire, celui de l'administration et du Ü-pel House, situé à mi-chemin entre Dharamsala et Mac Leod Ganj. Tenzin m'emmena du côté du monastère de Nechung, où réside l'oracle officiel du dalaï-lama, personnage affable que l'on rencontre dans les rues en train de faire son marché mais qui, lors de transes induites par des breuvages secrets, prédit l'avenir et prodigue moult conseils, sans lesquels Sa Sainteté ne prend jamais de décision. Pendant notre séjour, mon père suivra une de ses initiations et en sortira profondément transformé, ou perturbé, selon le point de vue que l'on adopte.

À côté du temple de Nechung se trouve le bâtiment de la Bibliothèque des arts et archives tibétains, où mes parents suivront des cours de philosophie du dharma avec un moine. Des Tibétains, plutôt âgés, tournaient autour du bâtiment dans le sens des aiguilles d'une montre en récitant des mantras et en égrenant leur *mala* (*tengwa* en tibétain), le tenant à la main, enroulé autour du poignet ou autour du cou. Il est composé de cent huit perles brunes qui symbolisent les cent huit épreuves qu'a subies le Bouddha pour atteindre l'Illumination et les cent huit passions que doit surmonter le fidèle afin de se rapprocher de son idéal de méditation et d'ascétisme. Tenzin m'entraîna vers une boutique qui présentait quantité de *mala,* en céramique ciselée ou en os de crâne humain comme la plupart des objets de culte tibétain, mais aussi des amulettes, des turquoises tibétaines, bleues avec des éclats noirs, des statues de *boddhisattvas* ou divinités, et de Tara la grande déesse protectrice blanche ou verte, des *dzi* ou yeux magiques, perle oblongue en corne de *yak* polie, des objets en cristal de roche et des bols chantants. Je demandai à Tenzin lequel il préférait et il me montra un beau *dzi* avec une turquoise rouge au centre. Sortant mon portefeuille, je le lui offris. Il prit l'objet, interdit, secouant la tête en signe de refus, mais j'insistai en posant la main sur mon cœur. Je voulais qu'il comprenne que je le faisais avec amour, ou au moins avec amitié. Derrière son sourire, je vis alors poindre des larmes. Il saisit ma main et furtivement l'embrassa. Je rougis jusqu'à la racine des cheveux. Nous prîmes la direction de Mac Leod Ganj par un sentier encore plus abrupt et fatigant que le précédent. Dans mon dos je sentais son regard insistant.

Nous parvînmes à la rue principale de Mac Leod Ganj, sorte de nouveau Katmandou pour *beatniks* de ce début de XXIe siècle. Dans des boutiques sommaires se vendaient des vêtements traditionnels, mais aussi des chandails pour les nombreux touristes dont, bizarrement, parce que j'étais déjà liée à

Tenzin et que je vivrais avec lui et les autres orphelins tibétains, je ne me sentais pas faire partie. Les touristes sont de passage, vivent à l'extérieur de la réalité tibétaine, l'idéalisent, y prennent uniquement ce dont ils ont besoin, avec un égoïsme non dénué de jugement. Les touristes déblatèrent des lieux communs, ânonnent des superficialités érigées en certitudes. Rarement veulent-ils abandonner leur vision erronée et leur position supérieure. Tout ce qui les intéresse, c'est de rentrer chez eux, montrer leurs photos et raconter leurs petites anecdotes, passer aux yeux de leurs amis pour des voyageurs. Avec mes parents, nous n'avions jamais été des touristes. Nous avions toujours cherché à nous intégrer, à nous fondre dans les besoins des autres. Avec Tenzin, je me sentais moins touriste que jamais, car je l'aimais. Quelques heures m'avaient suffi pour le comprendre.

Nous nous sommes attablés dans un restaurant qui deviendrait par la suite un de nos lieux de rencontre, pour partager ce qui fut mon premier repas tibétain. Il se composait de *momos* (gros raviolis au bœuf ou au fromage) et de *chowmein* aux légumes. En sortant, nous avons donné quelques piécettes aux innombrables lépreux, sans nez, sans doigts ni orteils, dont la vue au début offusque, puis auxquels on finit par s'habituer comme à un élément du décor global.

Sur un étal, Tenzin m'a montré de grandes plaques de granit sur lesquelles on faisait graver les six syllabes d'un *mantra* ou *mani*, prière adressée au grand *boddhisattva* de la compassion Avalokiteshvara, le prince hindou Siddharta Gautama devenu Bouddha, que les bouddhistes répètent en marchant, de même que les orthodoxes récitent la prière du cœur, ou que les moines bénédictins psalmodient des chants grégoriens.

Derrière la rue principale débutait une artère parallèle qui longeait un autre monastère. Le long du mur était disposée une file de petits moulins à prières que l'on tourne de la paume de la main en passant à côté, et qui conduit jusqu'à un immense moulin haut de deux mètres et d'un mètre de circonférence accroché devant la porte du temple du monastère. Les prières gravées sur ces moulins de cuivre, comme celles imprimées sur les petits drapeaux rouges, blancs, verts, bleus et jaunes que l'on fait flotter au vent, sont ainsi censées se répandre dans le monde. Du moins les Tibétains le croient-ils sincèrement, tandis que les touristes, eux, exécutent le geste par mimétisme, mais non sans conviction.

Certaines vieilles Tibétaines parcourent ainsi le chemin des moulins à prières trente, cinquante fois par jour, tout en se prosternant, c'est-à-dire en exécutant une génuflexion puis en s'étalant de tout leur long, face contre terre, jusqu'à cent fois, comme le demande leur culte. Les Tibétains, je m'en rendrais largement compte, pratiquent le bouddhisme avec obéissance en vénérant le dalaï-lama comme un dieu, l'égal de Chenrezig, son incarnation sur terre, et n'ont pas du tout envie qu'il leur rappelle qu'il est, comme il dit, « un simple moine parmi d'autres ». Le dalaï-lama a été, jusqu'à très récemment, leur chef d'État, dirigeant une théocratie, nommant lui-même les membres du Parlement. À de nombreuses reprises, le dalaï-lama a lui-même dit juger ce système obsolète. Il avait annoncé de longue date qu'à sa retraite, il abolirait la théocratie pour laisser place à une véritable démocratie, où les représentants politiques ne seraient plus des religieux, mais seraient élus par le peuple. Mon père m'avait expliqué tout cela. Et en effet, au moment où j'écris ces mots, le dalaï-lama s'apprête à prendre sa retraite et, tenant parole, a abandonné sa fonction politique pour redevenir le simple moine bouddhiste qu'il a toujours affirmé être.

Non loin du chemin des moulins à prières existe un autre chemin de méditation, permettant une extraordinaire déambulation à flanc de montagne au-dessus des luxuriances végétales, et conduisant vers le complexe monacal de Tsuglagkhang, le plus grand, le plus majestueux des sites de culte de la communauté tibétaine exilée. Tsuglagkhang comprend aussi un monastère, le temple Namgyal, où se dressent trois immenses et rarissimes statues ainsi que d'imposants *stupas*. Ce complexe monacal abrite également la plus importante école bouddhiste réservée aux moinillons que l'on voit courir, rieurs, dans leurs robes couleur pourpre à col jaune. C'est là, à l'arrière du Namgyal, dont la terrasse de marbre blanc s'avance comme une nef de lumière au milieu des brumes, défiant de sa splendeur celle de l'Himalaya, que réside Tenzin Gyatso – Océan de Sagesse –, le quatorzième dalaï-lama. Pour son peuple, il représente un temple lui-même, une référence, une consolation, un phare dans la nuit de l'exil. Pour tout son peuple ? Non. Loin de là. C'est précisément ce que je découvrirai plus tard. Trop tard.

Ce chemin constitue pour les bouddhistes un *kora,* un circuit rituel qui mène au Tsuglagkhang, lequel est pour eux un sanctuaire, car il renferme trois imposantes représentations des Bouddhas Shakyamuni, Avalokiteshvara et Padmasambhava, et est pour les exilés l'équivalent du sanctuaire du Jokhang situé au Tibet, leur pays qu'ils ont dû quitter à partir de 1959 pour survivre à l'invasion chinoise massive qui a débuté en 1950.

Tout ce que je vous dis là, je l'ai appris par la suite. À cet instant-là, je regardais plutôt autour de moi avec l'impression que je n'avais pas assez de mes deux yeux pour capter toutes ces nouveautés. J'étais subjuguée par la splendeur des lieux, les monuments, mais surtout la nature, intimidante de magnificence. L'odeur puissante des feuilles sous la mousson, l'air vif et la vue majestueuse me donnaient le tournis. Mais rien de tout cela ne me subjuguait autant que la présence de Tenzin à mes côtés.

Faute de pouvoir communiquer par la parole, nous marchions en silence, mais à chaque pas je sentais mon corps, toutes les fibres de mon corps, vibrer à l'unisson du sien. Je tentais de garder les yeux fixés sur l'environnement, mais c'était peine perdue. Sa présence agissait sur moi comme un calorifère. Son magnétisme me donnait envie de me jeter contre lui. Ma peau était en feu. Une moiteur fiévreuse brûlait mes paumes et le bas de mon dos. Pendant tout ce temps, il me dévorait des yeux, augmentant mon trouble. Je n'avais pas besoin de mots pour savoir qu'il était dans le même état d'excitation que moi. Le corps ne ment pas. Il parle un langage authentique, et universel. Nous étions là, au milieu de ce *kora* sinueux, lorsque Tenzin, constatant que nous étions seuls, m'attira vivement contre lui. Enfin, nous étions soudés l'un à l'autre. Je crois que ma respiration s'est arrêtée. Tremblant, les doigts crispés, les yeux clos, il chercha mes lèvres et m'embrassa avidement, longuement, mangeant presque ma bouche. Tout mon corps battait la chamade. Je restai collée contre lui sans vouloir me délivrer de son étreinte.

J'étais déjà sortie avec des garçons, et pour tout dire, Mathieu était déjà dans ma vie au moment de notre départ pour l'Inde. On s'était embrassés, collés, on s'était promis de s'écrire et de se retrouver à mon retour, même dans un an. J'étais un peu triste de le quitter, un peu, c'est tout. J'étais toujours sur le départ, Mathieu le savait, comme il savait qu'il fallait me prendre comme ça. Quoi qu'il en soit, jamais auparavant je n'avais ressenti ce que je venais de ressentir avec Tenzin. Un feu aussi violent qu'instantané, magique. Je sentais son cœur battre à tout rompre comme s'il allait sortir de sa poitrine et rejoindre le mien qui battait aussi fort et aurait voulu suivre le chemin inverse. Le temps s'était arrêté. Il nous fallut pourtant desserrer notre étreinte pour aller rejoindre mes parents et, avec eux, nous rendre au TCV où nous étions attendus. Sur le sentier ardu, je marchais comme un automate. J'avais hâte de me rendre à la maison numéro deux, puisque Tenzin et moi allions vivre sous le même toit.

J'étais partie de chez moi depuis moins de deux semaines et tant de nouveautés déjà m'avaient assaillie, tant de choses étaient arrivées dont celle-là, essentielle : l'amour s'était déversé sur moi comme la mousson sur la terre.

7.

Le TCV, le village des orphelins tibétains, se trouve à environ deux kilomètres au-dessus de Mac Leod Ganj. On y accède en suivant une superbe route à travers la forêt de Forsyth Ganj, après être passé devant l'église anglicane de St John in the Wilderness. C'est tout un choc artistique, mais aussi spirituel pour les croyants, que de tomber en plein bois sur cet édifice en pierre néogothique illuminé de vitraux exceptionnels, construit là en 1852, une incroyable prouesse quand on sait qu'il culmine à quelque 2000 mètres d'altitude, et au milieu d'abondantes neiges durant le long et rigoureux hiver. Les Tibétains admirent cet édifice sacré même s'il n'appartient pas à leur religion. D'abord, cette église anglicane est magnifique, ensuite elle force leur respect pour avoir miraculeusement échappé au tremblement de terre qui, en 1905, détruisit presque complètement Mac Leod Ganj. Enfin, et c'est sans doute une raison essentielle, le dalaï-lama, fidèle à ses convictions œcuméniques, aime à venir s'y recueillir.

Tenzin ouvrait la marche et nous servait de guide. Mes parents derrière lui portaient mes affaires et moi je les suivais, emportée pour moitié par mon esprit qui se repassait sans cesse la scène du baiser, et pour moitié par la splendeur de la nature. La route était glissante, car il s'était remis à pleuvoir, mais je ne cessais de m'émerveiller des nappes de brouillard qui se promenaient dans la vallée tels des fantômes de gaze puis disparaissaient d'un coup, volatilisées sous l'effet d'un soudain rayon de soleil entre deux trombes d'eau. Pour qui ne l'a jamais vécue, la mousson est un phénomène étrange qui produit des effets incongrus. Il pleut à torrents, ça s'arrête net, et puis ça recommence, comme si quelqu'un, là-haut, s'amusait à verser des seaux d'eau.

Tant de sensations nouvelles m'avaient assaillie en quinze jours, je n'en revenais pas ! En marchant, je me demandais si j'étais vraiment dans une forêt en haut de l'Himalaya ou bien si je rêvais ! J'allais vivre avec les enfants tibétains, tandis que mes parents habiteraient au Ü-pel House. Ils suivraient leurs cours respectifs de dharma et d'astromédecine tibétaine et viendraient deux fois par semaine au TCV pour enseigner, en anglais, ma mère les mathématiques et mon père l'anglais, dans les classes du niveau secondaire. Ce devait être notre vie pendant un an, selon un emploi du temps structuré et équilibré. Mais moi, déjà, je m'apprêtais à vivre un an avec Tenzin. Cette pensée obnubilait mon esprit. De temps à autre, Tenzin se tournait, faisant mine de voir si nous suivions, et, furtivement, m'adressait un clin d'œil. Après une heure de marche, en équilibre sur des pentes instables, nous atteignîmes notre destination.

Accéder au TCV, c'est trôner soudain au-dessus des nuages. De l'une des terrasses, lorsque le vent a lavé le ciel des grappes de nuages errants, on peut apercevoir en contrebas, dans la vallée, le village de Dharamsala et ses habitants qui, de cette altitude, ressemblent à des pièces de Lego.

Ce lieu dans les nuages, dévolu aux enfants tibétains exilés et orphelins, impressionne tant par sa majesté que par l'organisation stricte, pragmatique et minutieusement orchestrée, qui y prévaut. Pema Choezom, la sœur aînée du dalaï-lama, en figure la proue, l'âme et le cœur, une sorte de mère spirituelle pour les quelque deux mille déshérités qui grandissent là, entre les maisons qui les logent, les écoles qui les éduquent, les terrains de basket et surtout de soccer qui leur permettent de se défouler, la salle de spectacle où ils dansent et chantent, sans oublier le temple qui, vu des hauteurs, semble protéger leur vie, ou bien la régir, selon l'idée que l'on s'en fait.

Bien qu'elle soit respectée comme la Grande Mère de tous les enfants tibétains, une sorte d'incarnation de la déesse Tara, Pema Choezom n'est bien sûr pas seule à veiller sur les enfants, loin s'en faut! La prise en charge et l'éducation des enfants constituent la priorité de la communauté tibétaine en exil, l'un des objectifs primordiaux du dalaï-lama et de son entourage. Cela mobilise leurs efforts, et la majorité de leur budget, dont la quasi-totalité vient des dons, parrainages et autres aides de gouvernements étrangers. Le dalaï-lama, sa sœur, le gouvernement tibétain en exil ainsi que les nombreux animateurs du TCV estiment que ces enfants-là, ayant survécu aux violences extrêmes que la vie leur a infligées, une fois accueillis au sein du TCV, doivent y être protégés, éduqués, et tout cela, tout en baignant dans la langue et la culture tibétaines. Un peuple, même exilé, qui préserve sa langue, sa culture et sa religion, laquelle fait partie intégrante de la culture, ne s'éteint pas. C'est ce qu'ils pensent, et ils ont raison, du moins en partie, puisque l'envers du décor, que je découvrirais au fil de mon séjour au TCV, me ferait voir que les choses sont loin d'être aussi idylliques. Et l'amour alors? Un enfant orphelin a aussi droit à de l'amour et à de l'attention, c'est pourquoi chacune des trente-huit maisons qui composent le village, abritant une quarantaine d'enfants, est dirigée, comme dans une famille ordinaire, par une *amala,* une mère, et un *pala,* un père.

Je me souviens comme si c'était hier de l'accueil extraordinaire des habitants du TCV. Le directeur du TCV, les parents et quelques enfants de la maison numéro deux nous attendaient au pied des marches qui conduisaient à la terrasse de la maison, formant une haie d'honneur. « *Tashi Delek ! Tashi Delek !* Bienvenue ! » disaient-ils les paumes jointes au centre de la poitrine, affichant un sourire jusqu'aux oreilles. Chacun d'eux tenait une écharpe de satin blanc destinée à nous être posée autour du cou en signe de bénédiction. Sur le côté, une fille d'environ treize ans, munie d'une grande théière de fer-blanc et de trois petits gobelets assortis, attendait que nous soyons parvenus à leurs côtés pour nous servir un breuvage de bienvenue – oups, du thé au beurre ! pensai-je évidemment en me conditionnant d'avance à l'avaler sans faire la moue, quand je la vis verser de l'eau bouillante. Oui, juste de l'eau bouillante.

Or de l'eau, ce n'est pas ce qui manquait en ce mois de juillet dans les hauteurs himalayennes ! Comme nous commencions à gravir la pente pour rejoindre nos hôtes groupés en haie d'honneur, des trombes d'eau nous ont dégringolé dessus, mais nous, imperturbables, nous avons poursuivi notre ascension vers eux, tandis qu'eux, impassibles, le sourire jusqu'aux oreilles (et donc de l'eau plein la bouche !) n'ont pas bougé de leur place. Quand je repense à cette scène, j'en ris presque. Mon premier contact avec le TCV a donc été béni… à l'eau! Trempés, nous avons suivi nos hôtes vers la maison numéro deux où nous attendaient une trentaine de pensionnaires. L'important pour moi à cet instant était que Tenzin en fasse partie. Par discrétion, il s'est éclipsé dès notre arrivée devant la maison, mais je savais qu'il n'était pas loin.

Tandis que les enfants me saluaient bruyamment, criant leur joie et leur stupéfaction de voir débarquer une Canadienne blonde aux yeux verts qui allait partager leur quotidien, Tenzin se tenait en retrait, souriant de toutes ses dents tandis que son regard restait bizarrement fermé, peut-être à cause de l'incongruité de la situation.

La maison numéro deux comportait quatre dortoirs contenant chacun quatre lits superposés à trois étages, deux dortoirs pour les filles et deux pour les garçons, une grande salle commune, deux salles de douches et toilettes, ainsi qu'une très grande terrasse bétonnée. Les parents, avec leurs trois enfants biologiques, disposaient de deux pièces un peu à part dans la maison. Je ne dois pas oublier de mentionner le toit, plat, qui offrait une aire de jeux supplémentaire, notamment pour faire voler des sacs en plastique attachés à une cordelette en guise de cerfs-volants, une aire de jeux ou d'isolement, enfin, autant que possible. Dès que j'ai mis le pied dans cet endroit, j'ai su que la notion d'espace personnel, le droit à la rêverie solitaire et, plus encore, à l'intimité physique, allaient disparaître de ma vie. Si chez moi je me plaignais parfois d'être fille unique, là, en un instant, j'ai su ce que signifiait la promiscuité. Je m'installai donc dans le deuxième dortoir des filles âgées de douze à dix-sept ans (j'appris qu'on n'y entrait, comme jadis au harem des sultans ottomans, qu'une fois menstruée). Mais moi, contrairement à mes camarades, j'eus aussitôt droit à une épaisse et moelleuse couverture de laine rose bonbon. Je n'en voulais pas, mais *amala* insista tant que je compris que mon refus la vexerait.

L'exception dont je faisais l'objet avait déjà commencé à l'heure du souper pendant lequel mes parents, Sylviane et Gilles, et moi avions été conviés à manger avec la famille des parents, à leur table, tandis que les autres enfants mangeaient sur leurs genoux dans la salle commune une bouillie de *tsampa,* un morceau de fromage et du thé au beurre, alors que nous dégustions des *momos* à la viande, du *chowmein* au poulet, du riz sauté et des rouleaux de printemps à la sauce arachide, faisant passer le tout avec de l'eau bouillante. C'était très bon, exactement comme au Kalaish, le restaurant que j'avais découvert à Mac Leod Ganj avec Tenzin, et cela représentait surtout un gros cadeau de la part de nos hôtes qui n'en mangeaient que très rarement.

Mon père, mécontent de lui-même, a répété que nous aurions dû apporter le repas et non nous laisser ainsi servir. Pour finir, ma mère et lui ont opté pour un don considérable à la maison deux. Mon père a discrètement glissé une liasse de roupies dans une enveloppe et l'a placée sur une étagère. Combien pouvait-il bien y avoir dans cette enveloppe ? Cent, deux cents dollars ? Une petite somme pour nous, mais qui représentait plusieurs mois de subsistance pour eux.

Mes parents ont dormi sur place cette nuit-là, dans le lit conjugal que *amala* et *pala* leur ont cédé, malgré les protestations véhémentes de ma mère, déjà culpabilisée par l'histoire du repas. Ils acceptèrent néanmoins, car, encore là, refuser aurait été une offense. Fort de ses lectures sur le bouddhisme, mon père lui a rappelé de « garder le cœur ouvert » et ma mère, habituée à observer le monde et les êtres avec une certaine rationalité, a fini par accepter ce qui lui était simplement offert. Emmitouflés dans nos couvertures, nous avons passé notre première nuit au sein du TCV.

Dans mon dortoir de filles, j'ai à nouveau eu du mal à m'endormir car, si le baiser de Tenzin m'avait foudroyée, le doute s'emparait de moi. Depuis notre arrivée à la maison numéro deux, je ne l'avais plus vu. Il nous faudrait rester discrets, je m'en doutais bien, mais je m'inquiétais quand même, j'essayais d'élaborer une stratégie pour parvenir à être en sa compagnie sans que cela se voie trop. La tête enfouie sous la couverture rose, je tournais et retournais le problème. Lui dormait avec «les grands», comme l'avait expliqué le *pala*. Il étudiait comme moi au collège, mais en dernière année, et suivait des cours de religion le soir, obligatoires à son âge. Objectivement, je savais que je n'aurais que peu d'occasions de me retrouver en sa compagnie.

Mais puisque tout, depuis notre arrivée en Inde, semblait un peu magique, puisque les Tibétains croyaient tant en la force de l'esprit, je décidai de garder le cœur ouvert, et de faire confiance. Nous allions bien trouver un moyen. Je finis par sombrer dans un sommeil où je retrouvai la lueur des yeux de Tenzin et le goût de sa bouche sur la mienne.

8.

J'étais honteuse. Bien que dormant dans le dortoir, je ne me réveillai le lendemain qu'à sept heures du matin, n'ayant même pas entendu les autres filles de plus de sept ans qui, comme c'était la règle, avaient commencé leur journée à six heures par le rangement de leur lit, l'astiquage du sol à l'aide de vieux chiffons mouillés, le tri de leurs habits propres et sales pour le lavage à la main prévu au retour des classes, ainsi que, à défaut de repassage, l'époussetage et la bonne présentation de leur uniforme scolaire, pantalon ou jupe plissée de coton bleu roi, chemise blanche ou bleu ciel, polo de laine gris clair à liseré bordeaux avec le sigle TCV brodé en jaune côté cœur. À sept heures, habillées, elles se dirigeaient vers la terrasse où elles prenaient leur petit déjeuner (invariablement constitué de *tsampa*, de pain, de fromage, de pommes, accompagnés d'une tasse de lait) assises en tailleur sur des coussins, puis se lavaient les dents avant d'emprunter la longue série de marches qui conduit à l'école située en contrebas.

À l'école secondaire, les cours avaient lieu de huit à onze heures trente puis de treize à quinze heures. Suivaient une à deux heures (ou plus au besoin) de devoirs avant le souper servi dans le réfectoire à dix-neuf heures tapantes. Deux fois par semaine et le samedi matin avaient lieu les cours d'arts tibétains, musique, danse, théâtre. Mes camarades âgés de dix ans et plus préparaient justement une grande épopée de la vie de Bouddha qu'ils présenteraient à la fin de leur année scolaire, c'est-à-dire en février, car ils étaient en vacances du début mars à la fin mai. Autant dire qu'en cette mi-juillet, ils n'en étaient qu'au début de leur année scolaire.

Pour le spectacle, chacun se préparait à un rôle précis mais devait être polyvalent, savoir jouer d'un instrument, chanter, exécuter des pas de danse complexes et déclamer des extraits de l'aventure de Siddharta Gautama, fondateur du bouddhisme, après avoir également contribué à la confection des costumes. Beaucoup de travail pour préparer cette pièce à laquelle assisterait la sœur du dalaï-lama, et peut-être le dalaï-lama lui-même. Cela occupait tous leurs loisirs, mais les grands de plus de quinze ans, comme Tenzin, devaient en plus assister aux cours de bouddhisme.

Je m'en voulais de ne pas m'être réveillée. « *You must sleep,* me dit *amala, very long trip from*

Canada. » Ça ne constituait pas une excuse à mes yeux. J'étais en bonne santé, et pas plus empotée, ni plus maladroite, que les autres, sans compter que chez moi, je rangeais et nettoyais seule ma chambre, m'occupais du recyclage et du compost, sortais les poubelles et – mes parents étant furieusement contre la machine à laver la vaisselle qu'ils nommaient, et nomment toujours, la « machine à gaspiller l'eau » – j'assumais mon tour de vaisselle deux fois par semaine. Courroucée, j'expliquai à *pala* que je ne voulais pas seulement vivre avec eux, mais, autant que possible, être comme eux. *« Yes, yes »*, me répondit-il, avec un sourire amusé.

Mes parents, qui s'apprêtaient à redescendre vers le Ü-pel House, entendirent la conversation. Ils appuyèrent ma démarche. J'obtins ainsi la promesse de recevoir dès le lendemain mon morceau de tissu avec lequel, du pied, je frotterais moi aussi le sol, avant de préparer le trempage de mes affaires à laver le soir même. Je reçus également un uniforme scolaire, très différent de mes habits habituels mais confortable. Je voulais manger comme les autres, travailler comme eux, tenter de me fondre dans le groupe. J'étais là pour ça, non ? Et puis dans un coin de ma tête, je savais que c'était une façon de me rapprocher de Tenzin. C'était sans compter, évidemment, ma grande taille, mes cheveux blonds, mes yeux et ma peau clairs, mes vêtements et mes belles paires de *snickers,* sans oublier mon incapacité à communiquer vraiment avec mes compagnons. Malgré tout cela, ou peut-être à cause de tout cela, j'étais déterminée à leur prouver que j'étais exactement pareille à eux ! C'était vital. Je ne pouvais pas passer un an parmi eux en marquant sans cesse ma différence.

Tandis que je défendais vigoureusement ma cause, *amala* me tapotait affectueusement la tête. Elle observait mes cheveux défaits avec un air de désapprobation. Elle m'assit sur une chaise et entreprit de me coiffer, séparant ma longue chevelure en deux nattes bien serrées qu'elle releva sur le haut de mon crâne, parachevant le tout par… un ruban rose ! Je n'osais rien dire. Au Canada, une telle coiffure m'aurait attiré les moqueries, mais dans le contexte, elle me rendait semblable aux autres filles. Je saurais bientôt que la chevelure constitue un des principaux attributs du code de beauté tibétain, valable, d'ailleurs, dans toute cette région du monde. Les filles ne se promènent pas les cheveux détachés. Cela fait négligé et sale. La chevelure longue est généralement prisée, mais à condition d'être domptée et apprêtée. Ce code-là était évidemment complètement absent de mes habitudes de vie, autant que de mes propres critères esthétiques. Ma mère, comme sa mère, portait les cheveux courts, sa sacro-sainte phrase « bien courts bien nets » résumant la relation peu sensuelle qu'elle entretenait avec son ornement capillaire. J'avais quant à moi résisté depuis plusieurs années et possédais à cette époque une épaisse chevelure blonde qui tombait dans mon dos. Je les relevais rarement, sauf pour faire du sport, prendre ma douche ou me débarbouiller le visage. Je m'étais fait faire des mèches claires pour leur donner du relief et j'étais pas mal fière du résultat. Mes cheveux attiraient le regard, plus encore parmi les Tibétains qui, comme d'ailleurs les Indiens, avaient des cheveux tellement noirs que des reflets bleu nuit y scintillaient naturellement. Des cheveux magnifiques, tout comme leur dentition.

Je repense à une scène qui littéralement m'hypnotisait chaque fois qu'elle se produisait. Une scène simple, quotidienne, qui à mes yeux symbolisait, dans son extrême beauté dénuée de tout artifice, l'harmonie intérieure, mais aussi l'harmonie d'ensemble, qui règne dans la communauté tibétaine. *Amala* possédait une chevelure de toute beauté. D'un noir de jais, épaisse et lourde, elle ondulait, tels des pans de moire irisée, jusque sous les fesses. Elle ne les avait jamais coupés. Une dizaine de peignes ouvragés, qui constituaient ses seuls ornements, retenait cette chevelure en une série de torsades savamment organisées sur le haut et les côtés de son crâne. Une fois par jour, vers le milieu de la matinée, lorsque le temps s'y prêtait, elle s'installait sur la terrasse au soleil et, pendant une longue demi-heure, libérait ses cheveux et les peignait en chantant. La première fois que je l'ai vue, je me suis laissée tomber sur le rebord d'une fenêtre pour l'observer. J'étais littéralement tétanisée.

Je croyais que ce genre de scène n'existait que dans les contes de princesses, et voilà que le conte se matérialisait soudain devant moi sous les traits de cette très belle femme d'une trentaine d'années, calme et douce qui, sourire aux lèvres et les yeux mi-clos, chantait une complainte tibétaine en démêlant lentement, avec cérémonie, ses cheveux longs, si longs, plus longs que ses bras grands ouverts. Puis, avec la même simplicité, elle replaçait un à un ses peignes, et lissait de la paume les plis de sa robe tibétaine traditionnelle, longue et croisée avec des broderies le long de l'encolure, avant de s'en retourner vaquer à ses activités. C'était un moment de finesse dans un monde brutal, un instant de paix au milieu du paysage magique de l'Himalaya, et aussi une leçon de vie. Cette femme exilée, pauvre, assumant de nombreuses responsabilités, se montrait pourtant si sereine à travers ce simple geste quotidien. Je compris que me coiffer était sa façon de me prendre sous son aile en m'ouvrant le monde des filles tibétaines.

Amala me tendit une assiette en aluminium, au centre de laquelle se trouvait une poignée de *tsampa* jaunâtre, en me montrant comment en faire des boulettes pour les porter à ma bouche. Au milieu d'un éclat de rire général, je m'exécutai maladroitement. *Amala* déposa un baiser sur mon front en riant elle aussi, les paumes levées vers le ciel. Deux nattes, des boulettes de bouillie d'orge et un baiser maternel : tel fut le rituel de mon intronisation, dans la gaieté et la bonhomie générales.

Le ciel, ce matin-là, arborait son bleu le plus transparent. Les nuages recouvraient complètement la vallée et nous, au TCV, flottions au-dessus, bénis par le clair soleil du petit matin.

J'avais tout le temps espéré apercevoir Tenzin. En vain. Je me demandais bien où il pouvait être. Tandis que mes parents redescendaient vers leur lieu de vie, je suivis les filles de mon âge vers l'école. C'est là que je fis la connaissance de celle qui deviendrait mon amie et aussi, parce qu'elle parlait à la fois anglais et tibétain, ma précieuse interprète auprès de mon amoureux.

9.

Helle Helle, *hellige* Helle, l'enchantée... Elle,
Helle, mon amie. Ses prunelles bleu outremer
dans une mousse de fins cheveux roux, qui
formaient une auréole d'angelot autour de sa
figure ronde, son mètre soixante-quinze, qui
faisait douter de ses quatorze ans et imposait
le respect, alors qu'elle était si tendre derrière
son physique de Viking égarée hors de ses mers.
Helle possédait déjà toute une sagesse dans la
profondeur de son regard. Calme comme le
lac Dhal au bord duquel était construit le TCV,
empathique, apaisante, toujours souriante.
Était-ce là l'effet du bouddhisme, me suis-je
demandé en la rencontrant en ce premier
jour de classe durant lequel je ne l'ai pas
quittée des yeux, forcément : comment ne pas
nous voir, elle, Helle, et moi, Emma, comme
prédestinées l'une à l'autre, parce que seules
Occidentales, nordiques de surcroît, moi
Canadienne et elle Danoise, au milieu de nos
compagnons tibétains.

Nous sommes devenues amies et même plus.
Toutes deux filles uniques, nous nous sommes

choisies «sœurs à la vie à la mort», comme nous aimons à le dire encore aujourd'hui. Helle avait aussi beaucoup voyagé depuis l'enfance, avec ses parents coopérants comme les miens. Nous avions en fait beaucoup de points communs, et une foule d'atomes crochus, mais elle avait sur moi un notable avantage : comme c'était son troisième séjour au TCV, elle parlait le tibétain ainsi que l'hindi, en plus, bien sûr, de l'anglais et du danois. Dès que je sus cela, je pensai qu'elle était une grâce que le destin avait bien voulu mettre sur mon sentier himalayen : elle serait mon interprète auprès de Tenzin, je lui réservais déjà cette mission, et j'eus la chance qu'elle l'acceptât, en éclatant de rire, dès que je lui en parlai, c'est-à-dire le soir même.

Sa mère enseignait les maths comme la mienne, mais en dernière année de collège ; son père, metteur en scène de théâtre, montait au TCV une sorte d'opéra récité, chanté et dansé qui racontait l'histoire du peuple tibétain, nomade, matriarcal et guerrier, avant l'avènement du bouddhisme au XIIIe siècle. Il est important de retenir cela pour la suite. Nos parents étaient faits pour s'entendre, et à nous six, nous nous sentîmes très vite comme de la même famille. Helle vivait avec les siens dans une maisonnette au bout du village, et très vite nous nous sommes quittées quasi uniquement pour dormir.

La découverte de l'école fut néanmoins toute une expérience. Elle se composait de bâtiments en béton peints en blanc, je ne sais plus combien de bâtiments, mais au moins trois ou quatre, assez pour contenir une flopée d'enfants d'âges et de niveaux scolaires très différents. Les classes, non mixtes, contenaient à peu près trente enfants, me semble-t-il, en tout cas, c'était le nombre d'élèves de douze ou treize ans qui se trouvaient dans la classe où nous étions avec Helle. La journée comprenait quatre cours de soixante-quinze minutes chacun, séparés d'une dizaine de minutes, ainsi que d'une heure le midi, pour avaler un casse-croûte mais surtout, jouer au basket et au soccer sur les terrains au milieu des bâtiments.

Ah, le soccer! C'est là que j'ai appris à y jouer, car les jeunes Tibétains lui vouent une véritable passion, autant ceux du TCV que les moinillons des monastères. Nous jouions souvent entre les bouses de vache transformées en boue puante par la mousson, si bien que, parfois, emportés par l'élan du jeu, nous ne parvenions pas à l'éviter et nous retrouvions le nez dedans! Précieux moments de défoulement et d'insouciance! Dès ce premier jour d'école, je me mis donc au soccer, avec d'autant plus d'ardeur que j'appris que Tenzin jouait comme gardien de but. Invincible gardien dont je m'imaginais réussir à déjouer l'attention pour lui marquer un but, attirer son attention et par là même, son admiration. Ça me fait sourire quand j'y repense aujourd'hui : une grande gigue blonde qui courait sur le terrain, rubans roses au vent, n'avait besoin de rien de plus pour retenir l'attention, non seulement du gardien de but, mais de l'école tout entière, enseignants y compris !

Des enseignants incroyablement sévères. Je le découvris dès le premier jour avec terreur, lorsque, à la fin de la première journée de cours, je vis l'un d'eux se diriger vers une élève et, ne faisant ni une ni deux, lui envoyer une grande gifle sonore qui laissa des traces rouges sur sa tempe. J'en restai pétrifiée sur ma chaise, bouche bée. Helle m'expliqua plus tard que cette élève d'environ seize ans se montrait toujours très insolente et qu'elle avait insulté le professeur. Cette première gifle donna le coup d'envoi de tous ceux que je vis infliger aux élèves, coups de mains, de ceinture ou de règle, faisant voler en éclats mes idées idéalistes sur la philosophie de la non-violence dont les arcanes m'apparurent d'emblée bien secrets...

J'en parlai ce soir-là avec Helle en la raccompagnant vers sa maison. « Au vu de la nature humaine, la non-violence est un idéal à atteindre », m'expliqua-t-elle gentiment, et je me souvins que mon père m'avait déjà dit la même chose en d'autres termes, lorsqu'il m'avait parlé de Gandhi. Lorsque je racontai ma première journée à mes parents, mon père me répéta, pour excuser la sévérité butée des profs, que « la non-violence est une philosophie de la vie, mais on ne peut pas laisser s'installer la zizanie pour autant »… Lui aussi justifiait les professeurs. Je n'en croyais pas mes oreilles. Je compris, en tout cas, que le stoïcisme et la discipline étaient de mise et que j'aurais intérêt à me tenir à carreau. « Ah non, toi et moi, on ne risque rien », voulut me rassurer Helle, mais cette nouvelle ne fit qu'augmenter mon indignation.

Ce jour-là, néanmoins, l'essentiel demeurait pour moi de parler de Tenzin à Helle, lui demander si elle le connaissait et tenter d'en savoir le plus possible sur lui. Elle sourit. Oui, elle le connaissait, comme beaucoup de filles qui, comme moi, ne restaient pas indifférentes aux charmes ténébreux de ce jeune homme au regard souvent baissé mais qui, dans les brefs instants où il ne se maîtrisait pas, lançait sur ceux qu'il atteignait des flammèches de braise. Les épaules carrées malgré sa minceur, la taille fine, les dents étincelantes entre les deux fossettes que creusait son sourire mutin, son charme opérait immanquablement. Alors, immanquablement, Helle l'avait repéré depuis longtemps.

Elle connaissait son histoire. Une histoire triste et sombre comme ses yeux. Bien que, ironie du sort, elle ne manquât pas de panache, cette histoire ne dégageait pas la chaleur qui émanait de tout son être. Même le souffle d'aventure, qui aurait pu rendre son périple exaltant, n'était que cela : Tenzin avait bravé le vent du nord pendant trois longues semaines, en traversant l'Himalaya à pied en compagnie de son oncle maternel, après que ses parents, opposants notoires du régime chinois, ainsi que son plus jeune frère eurent été tués sous ses yeux devant leur maison de Lhassa. Couvert de peaux de bêtes et chaussé de simples bottes, il avait marché de jour comme de nuit, ne se reposant que rarement, pour franchir les cinq cents kilomètres qui menaient de Lhassa à Dharamsala, se nourrissant de *tsampa* froide et de viande de yak séchée. Comment, après avoir vécu tout cela, avait-il encore eu la force de se battre pour survivre ? Cela en faisait à mes yeux un héros, un survivant magnifique. Pas un des garçons que je connaissais ne lui arrivait à la cheville.

Émue aux larmes, j'écoutais le récit de Helle comme s'il s'était agi d'une épopée légendaire menée par un demi-dieu qui avait bravé la petitesse des hommes et l'immensité des éléments au nom d'idées nobles et de pensées hautes. Mais mon cœur était en miettes. Ce que le bouddhisme nous rappelle de plus fondamental, c'est que nous avons en commun de pouvoir ressentir en nous la souffrance de tout autre être vivant. Le fait que la plupart des orphelins, filles et garçons, qui se trouvaient là fussent arrivés de la même façon, après avoir subi des horreurs et affronté des périls similaires, me faisait souffrir dans ma chair. Ce soir-là, pendant le repas, je cherchai Tenzin des yeux sans le trouver. Je commençais à paniquer, d'autant que je ne pouvais poser la question à quiconque. Lorsque je me retrouvai sur la terrasse avec l'ensemble des habitants de la maison deux pour prendre l'air avant de dormir, il ne s'y trouvait pas non plus. J'eus à nouveau du mal à m'endormir. Traverser l'Himalaya à pied, comment était-ce possible ? La question tournait dans ma tête. Je me raccrochai, pour me rassurer, au fait que Helle avait accepté d'être mon interprète. Le rêve qui finit par me ravir ressemblait à une violente tempête de neige.

C'est pourquoi, lorsque je sentis une main sur mon visage au cœur de la nuit, je crus d'abord que j'étais toujours en train de rêver. Deux yeux brillaient au-dessus de mon visage dans l'obscurité du dortoir de filles. Tenzin avait osé prendre le risque de venir jusqu'à moi, c'était vrai. D'une pression de la paume sur mon épaule, il me fit signe de sortir de mon lit et de le rejoindre. Je me levai et me glissai sur la terrasse. Il se tenait là, sous l'auvent qui faisait un mince abri contre la pluie qui tombait, fine et régulière, sur le silence environnant. Il m'attira contre lui et nous nous embrassâmes longuement, avec une infinie tendresse. Tous les muscles de mon corps encore engourdi de sommeil s'étaient relâchés et je me sentais flotter entre ses bras, bien qu'il me serrât fort. Je sentais son corps chaud et tendu contre mon ventre et le souffle de son haleine chaude sur ma nuque. Je ne sais combien de temps cela dura, mais quand je retournai me coucher, je ne pus cette fois me rendormir. Notre relation devait rester secrète. Elle deviendrait nocturne. En effet, pendant les deux mois que nous avons passés ensemble, une large partie s'est déroulée la nuit. La nuit, décidément. La nuit indienne, profonde et mystérieuse, aura enveloppé tout ce voyage, parfois pour le pire, et parfois, comme là, pour le meilleur. Cette façon de venir me visiter la nuit et de m'entraîner dehors avec lui devint une habitude, délicieusement romantique, entre la peur d'être surpris et le plaisir de transgresser les règles.

Il m'arrive encore aujourd'hui, trois ans après, de me réveiller en pleine nuit, en sursaut, avec l'impression, et surtout l'espoir, que Tenzin va apparaître dans le noir et me serrer dans ses bras. Ça n'arrivera pas, je le sais. Ces nuits-là, je reste debout, longtemps, égrenant mon *mala* devant la fenêtre de ma chambre. Avec l'atroce sensation d'avoir un trou à la place du ventre.

10.

Trois jours après cette première rencontre nocturne, je retrouvai mes parents à l'école où ils allaient enseigner. Je n'avais jamais cours avec eux et je préférais qu'il en soit ainsi.

Je commençais à m'intégrer. Je me levais à la même heure que mes camarades, effectuais mes tâches matinales avant d'enfiler mon uniforme et de prendre le petit déjeuner sur la terrasse. De six heures à vingt-deux heures, les journées étaient exténuantes. Je croisais Tenzin qui me souriait brièvement avant d'accélérer le pas pour disparaître de ma vue et rejoindre les amis de son âge. Une altercation avait éclaté entre *pala* et lui un jour plus tôt, mais bien que j'aie prêté attention à leur gestuelle, je ne compris pas de quoi il retournait. Après les devoirs, que je ne faisais pas, et la promenade autour du temple tibétain durant laquelle nous actionnions les moulins à prières à chaque tour accompli, arrivait le dîner sur la terrasse, s'il ne pleuvait pas, puis le moment de détente et de jeux avant le coucher. Tenzin n'y participait jamais.

J'en déduisis qu'il avait d'autres activités le soir.

Helle me confirma qu'il fréquentait les cours de bouddhisme donnés en soirée. Je racontais tout cela à mes parents, omettant de dire que l'absence de Tenzin me chagrinait, mais à la lueur malicieuse qui flottait dans leur regard tandis qu'ils m'écoutaient, je compris que mon trouble devait bien transparaître. Après les cours, ma mère me dit qu'elle avait discuté avec ses collègues professeurs qui lui avaient confirmé que les grands se rendaient aux cours de bouddhisme tous les soirs, dans le but de préparer l'examen, complexe, qui se tiendrait en fin d'année. Cela m'attrista, car je dus me faire à l'idée que je ne le verrais jamais le soir, sauf la fin de semaine, mais me rassura parce que son absence ne signifiait pas qu'il me fuyait, comme je l'avais redouté.

Ce soir-là, les parents de Helle nous avaient invités à dîner dans leur petite maison située au bout du village, une bâtisse tibétaine traditionnelle avec toit en pente à trois niveaux, orné de sculptures de biche, symbole d'harmonie, taillées et peintes, sur le frontispice. Enfin, les Tibétains, peuple nomade, vivaient traditionnellement dans des tentes et non dans des maisons, mais celle-ci correspondait à l'idée que les Tibétains exilés se faisaient de ce que devait être une demeure accueillante, et elle l'était.

Helle et ses parents nous attendaient sur le pas de la porte. Ils posèrent une écharpe de soie blanche sur nos épaules en signe de bienvenue, comme le veut la tradition tibétaine. Svend, le père de Helle, un géant à l'imposante carrure qu'adoucissaient son sourire espiègle et ses yeux bleus rieurs derrière la barbe rousse, nous souhaita le bonjour en danois par un sonore « *Goddag!* ». « *Hej Hej!* » renchérit la mère, Rikke, dont la natte blonde se comparait en longueur à celle que j'admirais chez *amala,* à quoi mes parents répondirent en chœur « Bonjour bonsoir! ». C'en fut tout pour nos langues respectives. Nous passâmes dès lors à l'anglais, à la bière forte pour les parents, au Coca pour nous, et aux rouleaux de hareng fumé pour tous en guise d'entrée.

— Pas possible! dit ma mère, du poisson ici, je n'en crois pas mes yeux.

— En conserve, malheureusement! dit Rikke, sinon nous n'en trouverions jamais ici. Or, pour Svend, ne pas manger de poisson pendant des mois, hum, ça c'est pas possible.

— Je suis prêt à tout accepter, confirma Svend, même le fromage de yak frit et le thé au beurre salé, à condition que je puisse commencer ma journée par un *smørrebrød.*

Et devant le regard interrogateur de Sylviane, il décrivit en détail le petit déjeuner danois typique, tranche de pain noir beurrée recouverte de tranches de poisson, viande et fromage fumés, servi avec une garniture abondante, mangé avec un couteau et une fourchette. Je repensais à ma bouillie de *tsampa* matinale en me disant que je préférais commencer ainsi qu'avec du poisson fumé au vinaigre !

La conversation dévia sur la gastronomie tibétaine :

— Nous aurons des *momos* à la viande de bœuf et des pâtes aux légumes, dit Rikke avec son sourire éclatant.

— Ah ! les *momos* farcis ! dit Gilles mon père, j'adore.

— Il y a encore des gens pour associer bouddhisme et végétarisme, dit Svend. Comment les Tibétains survivraient-ils aux rigueurs du toit du monde s'ils étaient végétariens ?

— Les idées reçues ne manquent pas, dit Rikke.

— Quand même, dit ma mère, les moines tibétains sont généralement végétariens…

— Faux ! s'exclama Svend. Je partage toujours l'omelette de mon professeur de langue et métaphysique tibétaine. J'ai même commencé à lui apporter du poisson et il l'apprécie. Et son cours est vraiment passionnant.

Des nourritures terrestres, la conversation s'éleva vers les appétences spirituelles. Nos parents, tout en mangeant avec appétit, débattaient dharma et réincarnation tandis que Helle et moi, picorant dans nos assiettes, attendions l'occasion de sortir de table. Mais nos parents discouraient sans répit et nous n'osions pas leur couper la parole. Soudain, alors que son père, les sourcils froncés, prenait un instant de réflexion pour formuler au mieux la différence entre les deux niveaux du bouddhisme tibétain, le petit véhicule et le grand véhicule, Helle déplia ses longues jambes de sauterelle de sous la table basse autour de laquelle nous mangions.

— Papa ! dit-elle, et son père se tourna vers elle, comme s'il venait soudain de se rappeler que nous étions avec eux.

— Les filles, dit sa mère, j'ai un dessert pour vous ! De la crème glacée que je suis allée chercher exprès au village de Dharamsala. Et pas au lait de yak ! ajouta-t-elle pour rire, mais ce n'était pas drôle.

— Merci, pas pour moi, dis-je le plus poliment possible.

— Ah… dit Rikke un peu décontenancée. Eh bien, j'ai du gingembre confit si tu préfères…

— Ouiii, du gingembre ! dit Helle en agrippant la boîte.

Nous nous sommes enfermées dans sa chambre. Petite mais joliment meublée de bois peint de couleurs vives, elle ressemblait à une maison de poupées. Elle avait déjà vécu deux fois six mois dans cet endroit et s'apprêtait à y passer six autres mois. Est-ce que cela ne lui déplaisait pas de quitter ses amis et sa famille danoise restés à Århus, petite ville guère plus grande que Saguenay, située sur la rive ouest du Jylland?

— Si, répondit-elle, au début, mais je reviens toujours ici avec plaisir, j'ai des amis depuis quatre ans et j'adore cet environnement, même quand l'hiver on est littéralement emmurés dans des mètres de glace par moins trente-cinq degrés Celsius.

— Hum, je connais, lui dis-je, ça ressemble parfois à ça chez moi aussi, même le fjord est gelé…

— Quoi? Vous avez un fjord au Québec? s'étonna-t-elle. Mais je croyais que c'était typiquement scandinave, les fjords!

— Peut-être que nous sommes Scandinaves, alors! lui dis-je. Un peuple nordique en tout cas…

Elle était heureuse de venir ici et estimait avoir de la chance de fréquenter les Tibétains qui, malgré leur vie misérable, conservaient leur bonne humeur et leur philosophie…

— Ne sont-ils pas trop… résignés? osais-je.

Helle opina du menton.

— C'est à cause de leur conviction que c'est leurs mauvaises actions passées qui ont formé leur mauvais karma collectif qu'ils paient aujourd'hui durement, par l'exil et la destruction de leur peuple.

Je restais tétanisée par ses paroles, prononcées comme une évidence. De quel mauvais karma collectif parlait-elle? Les Tibétains, peuple pacifique, étaient victimes des exactions violentes du gouvernement communiste chinois, et non pas les responsables de ce qui leur arrivait. Je ne comprenais pas.

— Les Tibétains ont été un peuple guerrier qui a envahi la Chine, tué et soumis le peuple chinois au VIIIe siècle, m'expliqua-t-elle. De plus, ce n'est que depuis l'avènement du bouddhisme au XIIIe siècle qu'ils sont devenus pacifiques, mais auparavant ils étaient des nomades sanguinaires. Et beaucoup d'entre eux, encore aujourd'hui, surtout parmi les jeunes, voudraient le redevenir. Le dalaï-lama affirme que cela a conduit le peuple tibétain à subir aujourd'hui la violence qu'il a jadis pratiquée.

— Quoi? rétorquai-je, un retour de bâton? Non!

Je ne me faisais pas aux balivernes du karma. L'image des intouchables écrasés sur les routes comme des fourmis ou dévorés dans les rues par les rats ne me quittait pas. Rien ne pouvait selon moi expliquer, encore moins justifier, ce qui n'était que barbarie.

Helle haussa les épaules:

— En vivant avec eux, on finit par ne plus y penser, c'est leur façon de donner un sens à la vie. Chacun de nous trouve un sens à la vie, et à sa vie, c'est la leur et j'ai simplement appris à la respecter.

— Mais ils ne peuvent pas tous penser ainsi, dis-je, il doit bien y en avoir qui ne sont pas d'accord et qui veulent sortir de ce système !

— Oh oui, dit-elle calmement, il y en a, mais pour aller où ?

— Mais pour partir ! N'importe quoi vaut mieux que la résignation.

— Oui, pour nous, c'est évident, mais pour eux non, répondit-elle sans chercher à me convaincre.

— C'est triste, dis-je, et je me sentais en effet submergée de tristesse.

— Pas toujours, dit-elle. Pas plus en tout cas que d'autres situations que nous connaissons chez nous.

Je me sentais mal. Au fond, son calme me mettait mal à l'aise. Sans savoir pourquoi, je pensais à Tenzin, me demandant comment il vivait cet état de fait et s'il s'y résignait. Je l'avais vu se disputer violemment avec *pala*, était-ce à cause de cela ?

— Il y a énormément de violence entre les jeunes ici, poursuivit Helle, c'est bien normal, il me semble, après tout ce qu'ils ont subi. Mais je ne sais pas grand-chose de Tenzin, mis à part qu'il est absent et taciturne.

Nous y étions enfin ! J'avais l'impression que toutes les phrases que nous avions échangées jusqu'alors devaient nous conduire à parler de Tenzin. Je voulais lui confier notre secret nocturne puis me ravisai. C'était trop intime. Je l'écoutai me parler des déboires de la vie des jeunes Tibétains et sentais mon cœur s'emballer, autant de révolte que de tristesse.

Nous finîmes par nous endormir côte à côte, comme des sœurs, car il était convenu que nous dormirions tous là, et heureusement, car la bière indienne avait eu raison de la curiosité de nos parents. Helle m'avait promis d'organiser un rendez-vous de groupe entre nous deux, Tenzin et son ami Dagbo. Comment ferait-elle? Elle se débrouillerait. Et… est-ce qu'elle n'était pas un peu amoureuse de Dagbo, par hasard?

11.

La professeure de géographie parlait, montrait sur la carte les zones himalayennes dévastées par la déforestation massive entreprise par les Chinois et qui menaçait gravement l'équilibre géoécologique de toute l'Asie du Nord-Est. Je ne comprenais pas ses paroles, mais je percevais sa fougue. Je connaissais le sujet que, sur l'insistance de mes parents, j'avais étudié avant de faire le voyage, suffisamment en tout cas pour me douter de ce qu'elle était en train de raconter tandis que je me concentrais sur sa beauté manifeste qui irradiait dans la salle de classe plus sûrement que le soleil d'août luttant contre les nuages synonymes de mousson.

Depuis mon arrivée, les occasions avaient été nombreuses de rester figée devant la grâce particulière des Tibétaines, jeunes ou moins jeunes, leur port de tête altier, leur dentition éclatante dans les reflets ambrés de leur teint mat, leur maintien digne, bien que l'humilité les décourage de se mettre en avant. Cette professeure de géo, je l'appris plus tard, était titulaire d'un *master* en sciences politiques obtenu en Angleterre grâce à une exceptionnelle bourse d'études à l'étranger, mais elle avait choisi, contre toute attente, de revenir à Mac Leod Ganj parmi les siens. J'admirais la finesse de ses traits, son nez petit et droit, ses yeux en amande aux prunelles couleur cannelle ambrée et, plus que tout, son incroyable coiffure : une dizaine de tresses fines, sur lesquelles étaient fixées des perles d'ambre bleu, rouge et tacheté de différentes grosseurs, couraient dans sa chevelure de jais, légèrement ondulée. Elle ne laissait pas de me stupéfier. Je n'étais pas jalouse, car il n'y avait aucune comparaison possible entre nos types physiques, et je pouvais donc la contempler avec un calme serein sans rien comprendre à ses paroles.

Une boulette de papier atterrit sur mon bureau et me tira de ma rêverie. Helle m'adressa un clin d'œil pour me signaler qu'elle en était l'expéditrice. Je pris discrètement le papier dans ma paume et entrepris de le défroisser pour en lire le contenu sans faire trop de bruit. «Je lui ai parlé, on a rendez-vous», disait le mot. Je sentis mon cœur s'emballer et frapper si fort que j'avais l'impression que tout le monde pouvait l'entendre. Je sentis une vague de chaleur monter à ma tête et, craignant que la professeure le remarque, je gardai le menton baissé, renonçant à la regarder plus longtemps. Un rendez-vous, déjà ? Mais quand l'avait-elle vu, alors que moi je le cherchais depuis deux jours sans succès ? Je relisais les mots de mon amie sans oser y croire. J'attendis la récréation avec une pénible impatience.

Comment avait-elle réussi à lui arracher cette promesse de rencontre, alors que nous avions dormi puis pris notre petit déjeuner ensemble – elle son fameux *smørrebrød,* et moi, plus sobrement, une tartine de pain noir à la confiture de baies d'aubépine –, avant de nous rendre ensemble à l'école, dans la même classe ? C'est la question que je lui posai dès que nous nous fûmes rejointes dans le couloir pendant la pause.

— Mais moi, j'avais un cours de tibétain avec lui ! me répondit-elle, l'air de penser que je perdais la tête.

En effet, j'avais occulté le fait qu'elle avait eu une heure de tibétain tandis que je reproduisais des motifs floraux tibétains au pinceau. Je souris.

— Et alors ?

— Alors je lui ai dit que tu mourais d'envie de visiter le Norbulingka et que je lui demandais de nous accompagner ce dimanche parce qu'il connaît très bien le lieu.

Je la fixai sans comprendre :

— … je meurs d'envie de visiter quoi ?

— Le Norbulingka. Un monastère extraordinaire, vraiment, un endroit hors du temps et presque hors de la terre, un temple réputé en même temps que le très officiel Centre des arts du gouvernement tibétain. Tu verras, c'est fé-é-ri-que ! Tenzin y a étudié, il connaît très bien.

— Tenzin, un artiste ?

— Eh oui, figure-toi qu'il est comédien, musicien et danseur, et il peint aussi, des *tangka,* tu sais, ces tentures en soie qui représentent les divinités du panthéon bouddhiste. Oui, ma chère, un garçon bourré de talents…

J'écarquillai les yeux, admirative.

— Eh bien ! Et tu ne pouvais pas me le dire plus tôt, non ?

— J'en savais rien, et puis peu importe, je voulais d'abord être sûre qu'il accepte…

— Et comment il a pris ça ?

— Il a éclaté de rire, vraiment ! Je crois bien que c'est la première fois que je le vois si joyeux. Il m'a dit : « Manjushri m'a dans ses tablettes ! » Manjushri, c'est le *boddhisattva* du destin, protecteur de l'astrologie aussi…

— Ça, c'est pour ma mère…

Je lui expliquai que ma mère prenait des cours avec l'astrologue du dalaï-lama, ce qui la laissa, à son tour, stupéfaite.

— Alors comme ça, poursuivis-je, il était content ?

— Tenzin ? Plus que content, ravi je te dis, et s'il invoque Manjushri, c'est une façon de dire que le destin lui sourit.

— Donc il l'espérait?

Helle me lança un regard coquin.

— Mais oui, Emma, tu peux le comprendre comme ça! En tout cas, il a clairement dit qu'il se sentait béni des dieux.

Et elle éclata de rire, ravie de son rôle d'entremetteuse. Quant à moi, je ne regardai plus personne, ni les professeurs, ni les élèves, et c'est à peine si je m'aperçus qu'il pleuvait des cordes en remontant vers la maison deux où *amala* m'attendait avec une serviette et du thé au beurre bouillant, que j'avalai sans rechigner. Comme Bouddha, je flottais au nirvana. Dimanche, c'était dans… deux jours. Deux jours! Comment survivre jusque-là? Et comment m'habiller?

— Allons! me dit Helle venue chanter avec nous après le repas du soir. Habille-toi comme tu veux et puis cesse d'avoir ces préoccupations de fille occidentale riche. Tenzin déteste les chichis.

Je la regardai sans trop savoir quoi répondre. Le style, c'est moi. J'y fais très attention, c'est vrai, mais est-ce qu'elle trouvait que j'en rajoutais, ou est-ce qu'elle essayait de me dire que je devais vraiment chercher à être comme tout le monde? Depuis mon arrivée au TCV, j'avais tout fait pour être comme les autres filles, être bien coiffée tous les jours et m'habiller simplement. Finalement, Helle avait raison. Je n'avais qu'à continuer ainsi. Mes préoccupations vestimentaires étaient secondaires. Elles n'auraient servi qu'à marquer ma différence aux yeux de Tenzin, or c'est exactement ce que je cherchais à éviter.

12.

Le lendemain samedi fut fort occupé. Mes parents m'avaient donné rendez-vous à Mac Leod Ganj à dix heures du matin pour que nous passions la journée ensemble, en commençant par une promenade de la bibliothèque qui jouxte le monastère de Nechung jusqu'au temple lui-même. Mon père m'expliqua que « la job » de l'oracle qui vivait là, parmi les moines destinés en quelque sorte à son soutien spirituel, était d'entrer, à la demande du dalaï-lama, dans des transes où, perdant toute conscience du monde, il devenait extralucide, et avait la capacité momentanée de prédire l'avenir pour conseiller le chef des Tibétains.

— Il arrive que l'oracle donne des cérémonies dans l'enceinte du temple, m'expliqua mon père, pendant lesquelles de simples manants, tout de même triés sur le volet, peuvent recevoir ses faveurs. Il s'agit toujours de cérémonies destinées à « purifier l'âme », et ceux qui ne vont pas dans le sens du changement et du lâcher-prise qui leur est demandé subissent les foudres du destin qu'ils nomment le karma.

— Le karma, encore ? m'exclamai-je. Le karma c'est « œil pour œil et dent pour dent », et tendez la corde pour vous faire pendre !

Mes parents se regardèrent, surpris, se demandant sans doute ce qui justifiait le cynisme de mes propos, mais ils n'insistèrent pas. Nous eûmes malheureusement d'autres occasions de nous interroger sur le karma ce jour-là.

Nous nous promenions sur le chemin de ronde inspirant qui, serpentant en à-pic au-dessus de la vallée, menait au grand temple de Namgyal, lorsque nous aperçûmes en contrebas des femmes et des fillettes indiennes qui portaient des briques sur leur tête. J'avais vu la même scène lors de ma première balade avec Tenzin. Elle n'aurait donc pas dû retenir mon attention plus que nécessaire, si ce n'était que ces femmes et leurs filles participaient là à l'édification d'une annexe pour les moines du Nechung, travail qui devait rester secret puisque, nous apercevant au-dessus de leur tête au travers de la végétation dense, elles laissèrent tomber les briques pour courir se cacher en voilant leur visage.

Mon père se figea sur place :

— On va voir ce qu'on va voir ! dit-il, le regard dur, en sortant son téléobjectif pour prendre des gros plans.

— Ne fais pas ça, Gilles, lui dit ma mère. Ce n'est pas à toi d'établir leurs normes ni d'imposer ton propre sens moral. C'est leur réalité et non la tienne, tu ne peux pas te permettre de juger !

Mon père sortit tout à fait de ses gonds :

— Non mais ça va pas, non ? Tu ne vas pas me dire que tu trouves une justification quelconque au fait que des moines exploitent des enfants !

— Elles en ont besoin pour vivre ! Elles doivent travailler de toute façon, alors ici ou ailleurs, qu'est-ce que ça change ?

Mon père se mit à hurler.

— Mais c'est toi qui as perdu tout sens moral, ma parole ! C'est toujours comme ça qu'on justifie que les enfants soient exploités partout sur la planète au lieu d'aller à l'école ! Et toi tu trouves ça normal maintenant ?

— Je n'ai pas dit ça ! cria à son tour ma mère, mais ce n'est pas toi qui y changeras quoi que ce soit. Ne joue pas les bons samaritains.

— Pas moi, pas toi, pas l'autre, alors qui, bordel, hein ? Qui ? Trop facile. Si tout le monde pensait, alors c'est sûr, rien ne changerait jamais.

Je demeurai là, les bras ballants, exaspérée et impuissante devant mes parents qui se disputaient de plus en plus souvent et de plus en plus fort. Autour de nous, les familles de Tibétains continuaient leur promenade spirituelle en regardant d'un œil réprobateur ces étrangers qui se permettaient de perturber ces lieux de quiétude. Ces tranquilles promeneurs du samedi ne se doutaient cependant pas qu'à dix mètres sous leurs pas, des fillettes indiennes vivaient une réalité autre, dénuée de tranquillité.

— Maintenant, tu ne pourras pas les photographier, décréta enfin Sylviane, on les a fait fuir avec nos cris !

— Eh bien, si tu crois que ça va me décourager, tu te mets le doigt dans l'œil jusqu'au coude ! Je vais revenir et me planquer jusqu'à ce que j'aie toutes les photos que je veux.

Ce qu'il fit. Quelques mois plus tard, il publiera son reportage, accompagné d'un commentaire percutant, dans un célèbre hebdomadaire français. Au vu de la somme d'argent qui lui fut versée pour ce reportage, ma mère s'en prit de nouveau à lui, disant qu'à son tour il exploitait ces pauvres enfants. Mais il ne l'écoutait plus et ne prenait même plus la peine de prendre la mouche. À la suite de notre retour précipité, et conformément à ce qu'avaient laissé entendre la professeure d'astrologie tibétaine de ma mère de même que l'oracle du dalaï-lama, que Gilles avait plusieurs fois côtoyé, ce voyage révéla leurs incompatibilités et mit un terme à leur union.

Sur le chemin du Namgyal, histoire de se calmer, mon père alluma une de ces cigarettes qu'apprécient les Indiens, sans tabac et à l'eucalyptus, dont j'adorais l'odeur, et que même ma mère ne désapprouvait pas, tandis que nous dirigions nos pas vers le village indien de Dharamsala et son *Chocolate Lodge,* temple pour la paix de l'estomac et des esprits.

Le lieu n'était fréquenté que par les étrangers, mais sa plus notable caractéristique se trouvait ailleurs. La boutique appartenait, je dis bien appartenait, à deux remarquables jeunes femmes dans la vingtaine. Amaïdhi, qui veut dire tranquillité en tamoul, aurait préféré se nommer Adalarasi, reine de la danse, car en dehors du chocolat, elle était passionnée de danse sacrée tamoule qu'elle pratiquait avec assiduité, ou bien même Avvaï, du nom d'une célèbre poétesse tamoule dont elle lisait les recueils derrière le comptoir de sa boutique. Et son amie et copropriétaire Badra Duha, pleine lune du matin, pakistanaise, disait devoir plutôt se prénommer Dahab, la brillante, car tout ce qu'elle touchait se changeait en or.

De fait, ces filles de familles aisées, qui avaient fait leurs études ensemble à Londres, s'étaient vraiment décarcassées pour fonder leur affaire, alors qu'elles étaient célibataires. Mais pourquoi donc avaient-elles choisi ce lieu, inapproprié pour faire fortune? La question les fit sourire et elles répondirent qu'elles possédaient d'autres *Chocolate Lodge* en gérance ailleurs, mais avaient choisi Dharamsala « pour sa haute spiritualité ». Nous les regardâmes de travers et je vis que mes parents doutaient de leur argument, mais cela importait finalement peu. C'était le seul lieu où manger du très bon chocolat et je me jurai d'y revenir avec Helle et Tenzin.

— Ouvrez-vous demain ? leur demandai-je sans réfléchir.

— Non, demain, c'est dimanche… répondit Amaïdhi avec un sourire entendu.

— Et alors, coupa ma mère, vous êtes chrétiennes ?

— Non, dit Badra Duha, je suis musulmane et Amaïdhi est une hindoue de la caste des brahmanes.

— Alors pourquoi respecter la tradition dominicale chrétienne ?

— Eh bien, sans doute par habitude, avança timidement Amaïdhi, qui ne s'attendait pas à ce que la conversation prenne cette tournure. C'était ainsi du temps des Anglais, et c'est resté.

— Les Anglais ne sont pas catholiques non plus ! dit ma mère en haussant les épaules.

— Bon sang, mais comment oses-tu porter un tel jugement ? intervint mon père, outré, et ils recommencèrent aussitôt à s'engueuler.

Je me demandai comment mes parents avaient réussi à se trouver tant de sujets d'exaspération mutuelle en si peu de temps, et conclus qu'ils ne s'entendaient vraisemblablement déjà plus avant notre départ. Le voyage s'était chargé de révéler leurs limites.

Tandis qu'ils se chamaillaient, je dégustais mon gâteau au chocolat accompagné d'un chocolat chaud crémeux baratté à l'ancienne, en faisant des moues entendues aux deux jeunes femmes. Elles me souriaient. Amaïdhi se mit à dodeliner de la tête, pouce et index pincés à hauteur de sa nuque, comme on le fait dans les danses hindoues, l'air de me dire de ne pas m'en faire. Moi de toute façon, je ne pensais qu'au lendemain.

— Connaissez-vous le Norbulingka? leur demandai-je à ce propos.

— Ah! soupira Amaïdhi, le Norbulingka est un poème posé sur l'Himalaya.

J'en restai la fourchette en l'air, soufflée par sa phrase, me disant qu'Amaïdhi aurait mérité de porter le beau nom d'Avvaï, la poétesse.

— Tu vas au Norbulingka? s'enquit soudain mon père qui m'avait entendue, me faisant aussitôt regretter d'en avoir parlé.

— C'est-à-dire que... commençai-je, peut-être demain, avec Helle.

— Comment? Toutes seules? renchérit ma mère.

— Non, me suis-je sentie obligée d'avouer, avec un des garçons de l'école.

— Un garçon? Lequel?

— Tenzin.

— J'irai avec vous, décréta mon père.

Son ton n'invitait pas à la réplique. Quand il s'agissait de s'opposer à moi, mes parents étaient toujours solidaires. Je regardai Amaïdhi et Badra Duha, l'air dépité, pensant que les cours de dharma que suivaient mes parents n'avaient pas encore produit leur effet et qu'ils n'avaient pas encore appris à se délester de leurs côtés ombrageux… Il y avait du boulot et cela prendrait des mois.

Nous quittâmes le *Chocolate Lodge* et dirigeâmes nos pas vers le sentier que nous devions emprunter pour remonter vers le Men-Tsee-Khang, et le Ü-pel House où nous allions souper avec des amis que mes parents s'y étaient fait – un musicien écossais et un couple de Français accompagnés par leur fils de neuf ans – et où je devais également passer la nuit. Essoufflés, nous fîmes une halte à mi-chemin de cette escalade ardue, admirant la vallée au fond de laquelle déclinait le jour dans une apothéose de scintillements électriques multicolores. Dix-huit heures : regardant sa montre, ma mère se souvint que c'était l'heure de la dernière des trois cérémonies quotidiennes au temple de Nechung, situé non loin de leur hôtel, et proposa que nous nous hâtions pour ne pas la rater. J'y allai en traînant les pieds.

Malgré mes réticences, cette cérémonie du soir eut sur moi l'effet d'un baume apaisant. Je me laissai complètement immerger dans les stridences de cymbales, clochettes, tambours, je participai aux offrandes d'eau et de riz, au partage du pain et du thé au beurre, psalmodiant sans les comprendre des mantras en boucle entre les dents, et ce bourdonnement dans le haut du crâne finit par évacuer le stress accumulé pendant la journée. Cette nuit-là, je m'endormis comme un bébé, d'autant que je savais que mon amoureux ne risquait pas de venir me visiter.

13.

Les seules photos de Tenzin que je possède datent de ce dimanche-là. Ce fut une journée magnifique, couronnée par un soleil chaud et sans la moindre goutte de pluie !

Helle et Tenzin nous rejoignirent dès le petit déjeuner. *Pancakes* à la banane avec beurre et chocolat chaud, voilà qui changeait beaucoup de la *tsampa* froide et mouillée que nous avalions au TCV avant de partir à l'école. Gêné, Tenzin mastiquait les yeux baissés, mais j'étais quand même contente de pouvoir lui procurer un peu de bien-être venu de mon monde à moi.

— Tu dois mettre tes bottines de marche, me recommanda mon père comme nous allions rejoindre l'autobus qui nous conduirait quelque quarante kilomètres plus bas, dans la vallée du Norbulingka.

— Pas question ! rétorquai-je, j'irai en *tongs,* comme Tenzin !

Mes parents n'insistèrent pas et je partis, les pieds pour ainsi dire nus dans la boue. Sous l'effet répété de la mousson, les chemins de terre n'avaient jamais le temps de s'assécher et il s'en dégageait une odeur épouvantable. La sagesse aurait voulu que, comme mon père, je protège mes pieds de tous les milliards de microbes qui s'ébattaient ainsi dans l'eau sale en compagnie des moustiques, mais, tout comme ma mère, j'avais trop chaud pour mettre des bottes. Elle et moi, et elle encore plus que moi, allions bientôt regretter notre désinvolture, mais sur le coup je m'en fichais, marchant d'humeur aussi radieuse que le ciel aux côtés de mon amoureux. L'autobus se mit à zigzaguer au-dessus des ravins. Je m'astreignis, stoïque, à ne pas me départir de mon calme, et à éviter ainsi d'avoir l'air bête à ses yeux.

Comme la descente durait environ une heure et demie, mon père entreprit de poser des questions à Tenzin, Helle servant d'interprète. Quel âge avait-il? Bientôt dix-huit ans. Depuis quand habitait-il au TCV? Depuis quatre ans. Il raconta ce que je savais déjà en partie. La fuite depuis Lhassa, la capitale du Tibet, avec un oncle, la traversée de l'Himalaya à pied au début du printemps, les mers de glace au-dessus de crevasses sans fond. Il nous dit que le plus grand danger venait de pèlerins tibétains qui, ne pouvant plus se rendre à Lhassa à cause des Chinois, erraient dans les montagnes, n'hésitant pas à attaquer et, au besoin, à tuer les voyageurs dans le but de leur voler leur nourriture. Ces pauvres hères allaient jusqu'à dévorer les cadavres des défunts que les Tibétains avaient coutume de suspendre dans les hauteurs sur des poteaux en bois.

Tenzin racontait tandis que Helle, mon père et moi le regardions, aussi fascinés qu'horrifiés. Il nous apprit que tous les rituels mortuaires de la planète se rattachent à l'un ou l'autre des quatre éléments, terre, air, eau, feu. Pour sa part, le rituel mortuaire tibétain ne se rapportait ni à la terre (comme chez les chrétiens qui traditionnellement enterrent leurs morts), ni au feu (comme dans le crématorium hindou que nous avions vu à Delhi), ni à l'eau (comme dans certaines civilisations où l'on laisse couler les cadavres), mais à l'air, les cadavres étant érigés sur des piquets afin de servir de nourriture aux animaux aériens que sont les oiseaux. Il fallait bien se débarrasser des corps, or le sol, gelé la majeure partie de l'année, ne permettait pas qu'on creuse. De plus, au Tibet les arbres étaient trop rares, et donc précieux, pour qu'on les gaspille pour brûler des dépouilles. Et puis enfin, il fallait bien que les oiseaux mangent, alors, parvenu au bout de sa démonstration, Tenzin nous avait quasiment convaincus que le rituel funéraire de son peuple était le plus pragmatique ainsi que le plus écologique.

Mais moi, en attendant que Helle traduise ses propos, je me concentrais surtout sur ses gestes et le trouvais encore plus beau animé qu'immobile. Il nous rappela que, pour les bouddhistes comme pour les hindous, l'âme quitte le corps pour se réincarner, alors, « ce qu'il advient de l'enveloppe charnelle importe peu ». Je secouai la tête pour marquer ma désapprobation. Moi je ne m'intéressais pour tout dire qu'à l'enveloppe charnelle de Tenzin, je ne voulais même pas imaginer les vautours fondre sur son corps noueux ! Lui riait, heureux de nous avoir appris quelque chose. Mais dès que mon père demanda ce qu'il comptait faire plus tard, le magnifique sourire de mon amoureux se figea. Il tourna la tête vers la vitre en serrant les mâchoires. Je sentis mon cœur se serrer instantanément.

— Papa ! m'écriai-je. Tu n'as pas le droit de poser cette question !

— Mais pourquoi ?

— Mais parce que ! Ça ne te regarde pas !

J'étais hors de moi. Je ne comprenais pas moi-même la violence de ma réaction. Tenzin finit par tourner son visage vers nous, disant, l'air résigné, qu'il ne savait pas encore.

— Il n'y a pas beaucoup de choix dans notre communauté, expliqua-t-il sobrement. On peut devenir moine ou commerçant. C'est tout.

— Mais non, dit mon père, décidément à côté de la plaque, il y a des tas d'autres métiers dans la communauté... professeur, médecin, membre de l'administration ou des services publics... ou même *pala* au TCV !

Mon père se croyait malin. Je le foudroyai du regard. Tenzin, lui, écoutant la traduction de Helle, secoua la tête avec un sourire sarcastique.

— Non, non, fit-il en agitant la main en signe de négation, je n'ai aucune chance de devenir médecin et encore moins politicien. Je déteste la politique du gouvernement actuel.

Ses paroles stupéfièrent mon père, non sans provoquer la réaction du voyageur tibétain assis devant nous. Il se retourna et scruta longuement Tenzin en fronçant les sourcils. Il lui déversa un flot de paroles en tibétain et mon amoureux, en guise de conclusion, lui rit au nez avec un air presque méchant.

Cet homme reprochait à Tenzin d'être un agitateur et menaçait de le dénoncer au gouvernement central.

Nous baissâmes tous la tête, conscients que le sujet était plus que délicat. Tenzin, le regard plein de douleur, fixait un point dans le vague, aussi vague que ses perspectives d'avenir. J'en avais froid dans le dos.

Nous arrivâmes à notre première desti-nation : un authentique village indien du nom de Sidhbari, situé dans le fond de la vallée et loin de tout circuit touristique, à partir duquel il nous faudrait marcher, dans une fééríe végétale, vers le Norbulingka. Parcourir ce village fut une source de découvertes aussi intrigantes qu'inoubliables. Il faisait d'autant plus chaud qu'il ne pleuvait pas et que nous étions au fond de la vallée, ne profitant pas de la brise qui balaie en permanence les hauteurs himalayennes. Une rue unique traversait le village et, en l'empruntant, nous découvrions les scènes ordinaires et extraordinaires qui se déroulaient dans les maisons aux portes ouvertes. La végétation, géante et odorante, nous enveloppait. Nous n'étions qu'à quarante kilomètres de Mac Leod Ganj, mais déjà nous avions totalement changé de paysage. Dans le creux de cette vallée, nous nous sentions dans un pays à part. Une paix et une harmonie extraordinaires se dégageaient de l'ensemble et nous n'avions pas assez de nos yeux pour nous délecter de toutes les scènes qui s'offraient simultanément à nous.

Sur le seuil d'une maison dont l'enseigne annonçait un cabinet de médecine ayurvédique, une femme broyait des racines à l'aide d'un pilon, tandis qu'une autre soutenait un patient allongé sur le front duquel un homme en tunique orange, sans doute le médecin, versait de l'huile en massant ses cheveux. Dans la maison d'à côté, nous aperçûmes des corps carrément nus allongés à même le sol sur des nattes que des femmes, maigres et ridées, massaient vigoureusement, pétrissant leurs muscles avec une force qu'on ne leur aurait pas soupçonnée. Leurs voisins, pour leur part, cuisinaient des mixtures plus colorées et malodorantes les unes que les autres, dans des gros chaudrons qui semblaient plutôt crasseux. «C'est une clinique très réputée dans la région», expliqua Tenzin, en attirant notre attention sur la longue file de personnes qui attendaient leur tour accroupies sur leurs talons ou assises en lotus. Lui-même, comme tous les enfants du TCV et comme toute la population tibétaine de Mac Leod Ganj, bénéficiait de soins gratuits au Men-Tsee-Khang, et n'avait donc pas besoin de descendre chez les médecins hindous.

Plus loin sur la rue se trouvaient des habitations non professionnelles, des boutiques colorées d'où s'échappait une musique tonitruante, une maison, sans doute neuve, intacte et fraîchement peinte en bleu et rose, dans laquelle nous aperçûmes un écran de télévision géant sur lequel dansaient des images de couples bollywoodiens, un restaurant, ou ce qui en tenait lieu, trois planches de bois dressées entourées de chaises branlantes sous un arbre géant à l'immense tronc noueux, où l'on pouvait se faire servir des beignets, des fruits et des cokes qui venaient de la boutique adjacente, une baraque en lattes où brillaient des monticules d'articles disparates, un peu comme un dépanneur qui vendrait de tout... au beau milieu d'une rue non asphaltée.

Et partout des Indiens, hommes en blanc, femmes en saris multicolores et enfants en bas âge, tranquillement installés devant leur maison et qui nous souriaient de leurs dents magnifiques en nous saluant de la main. La nonchalance et la convivialité ambiantes m'impressionnaient tout en me rappelant la tranquillité presque métaphysique des villages égyptiens que j'aimais tant.

C'est là qu'arriva une scène hallucinante. J'en ris encore en y repensant aujourd'hui. Comme nous traversions tranquillement le village, mon père prenant moult photos, nous vîmes arriver en sens inverse un homme singulier, vêtu de noir, sa longue chevelure très noire et luisante d'huile roulée sur le haut du crâne, des os dans le nez et les oreilles, des bagues luisantes à tous les doigts et des tatouages au henné sur les orteils de ses pieds nus, le regard exalté ceint d'un lourd trait de khôl noir, trois bandes blanches barrant son front plissé. Il passa à nos côtés en nous regardant méchamment, voulant ainsi manifester sa méfiance. Mon père voulait photographier ce personnage extraordinairement exotique, quand celui-ci se mit à hurler dès que Gilles fit mine de charger son appareil.

— Ne vous approchez pas! lui dit Helle, traduisant la mise en garde de Tenzin. C'est un prêtre shivaïte ambulant qui croit que la photo capture l'âme!

Mon père et moi étions stupéfaits. Qu'avait-elle dit ? Cet homme était quoi ?

— Un prêtre shivaïte ambulant, répéta-t-elle. Il n'y a pas de temple dans le coin, alors ce prêtre transporte un temple avec lui et fait les cérémonies à domicile pour ceux qui le souhaitent.

L'homme en effet transportait deux seaux en fer. Il s'arrêta devant une maison où nous eûmes l'occasion de le voir officier. Une scène pour le moins pittoresque.

De l'un des seaux, il sortit une statuette dorée de Shiva Nataraja – Shiva dansant en équilibre sur la jambe droite pour faire tourner le monde au rythme de ses pas –, ainsi qu'un tableau peint dans toutes les couleurs de l'arc-en-ciel représentant la tête de Shiva, un des trois dieux de la Trimurti, la trinité hindoue composée des dieux Brahma, Vishnu et Shiva, dans un panthéon qui compte plus de trente millions de dieux (bien que l'on n'en « utilise » qu'une dizaine). Le prêtre fit asseoir la famille au complet autour de la statuette et du tableau, leur passa des colliers de fleurs blanches et orange qu'il prit dans un des seaux, puis se mit à tourner autour d'eux en chantant des mantras avec force gestes liturgiques, tandis que les membres de la famille jetaient des fleurs et des pincées d'épices derrière leurs dos. En cinq minutes, c'était fait. Du bout de l'index, le prêtre dessina trois barres blanches sur leur front, ils se saluèrent en s'inclinant, paumes jointes, puis le prêtre ramassa ses affaires, empocha les billets que lui tendait le père et plia bagage.

Nous avions observé la scène incrédules, ne sachant trop s'il fallait rire ou s'indigner. Tenzin d'un air critique secouait la tête tandis que mon père hochait la sienne : « Si tu ne vas pas à Lagardère, Lagardère… » ironisait-il. Nous n'étions pas au bout de nos surprises.

Ayant fait quelques pas, le prêtre shivaïte sembla se raviser et, se retournant, se dirigea droit sur nous. Intrigués, nous le regardions approcher. Il se planta devant nous et prononça quelques phrases en hindi. Tenzin répondit quelque chose, le prêtre lui répondit et le ton se mit à monter entre eux. Mon père se tourna vers Helle qui traduisit :

— Ils se disputent parce que le prêtre veut que vous lui achetiez de l'alcool.

— Comment ça de l'alcool ? demanda Gilles, ahuri.

— Il veut se faire payer pour se laisser photographier, confirma Helle.

Mon père se tourna vers le religieux qui le fixait, l'air toujours aussi courroucé. Ils se dévisagèrent un moment jusqu'à ce que mon père éclate de rire. Il faut bien dire que la situation était délirante. Le prêtre afficha une mine vexée et tourna les talons.

— Non, non ! cria mon père en le rattrapant par la manche de sa tunique, *OK, OK, it's OK !*

Il sortit une liasse de roupies de sa poche. Voyant cela, Tenzin laissa jaillir sa colère, invectivant le prêtre, qui, lui, ne broncha pas. De la main il refusa les billets, et fit signe à mon père de le suivre.

Nous dirigeâmes nos pas vers la petite boutique que nous avions repérée auparavant. Là le prêtre montra du doigt la plus grosse bouteille de whisky exposée sur les étagères. Mon père, toujours hilare, montra la moyenne, le prêtre secoua la tête, exigeant toujours la plus grosse. Leur marchandage mimé dura ainsi jusqu'à ce que mon père finalement cède et achète la grosse bouteille de Johnnie Walker. Le prêtre la mit dans son seau et prit la pose, laissant mon père prendre… deux clichés ! Pas un de plus.

— *Man, you're kidding me !* s'énerva mon père, certain que l'homme comprenait l'anglais, mais celui-ci partit sans un mot, s'en allant poursuivre son prêche, la bouteille cognant bruyamment contre les parois métalliques du seau.

Dix mètres plus loin, il se ravisa à nouveau, revint sur ses pas et sortit un sachet de haschisch qu'il nous proposa. Mon père leva les yeux au ciel en secouant la tête. Il ne manquait plus que ça ! Helle, Gilles et moi en avons ri tout le long du chemin, mais Tenzin, lui, ne décolérait pas.

— Dis-lui donc de ne pas s'en faire, dit mon père à Helle, tous les prêtres du monde prennent des libertés avec la religion !

Je pensai aussitôt, et sans rire, à ce que nous avions vu la veille à proximité du Nechung.

Chemin faisant, nous parvînmes sur un petit pont de bois qui chevauchait une rivière en crue à cause de la mousson. Nous savions que nous devions suivre ce cours d'eau dans la plaine puis gravir la montagne jusqu'à sa source, emplacement symbolique sur lequel était édifié le Norbulingka, lieu inspiré que nous atteignîmes après deux heures de marche dans un paysage non moins majestueux.

Résidence d'été du septième dalaï-lama au XVIIIe siècle, le Norbulingka est un lieu sacré qui réunit en son sein les réalisations de tous les corps de métier artistiques, et de tous les artistes de l'époque, comme un catalogue vivant de l'art et de la culture tibétaine de l'époque, à la fois conservatoire et lieu de vie empreint d'harmonie et de quiétude. Le temple est entouré d'une muraille close par une épaisse porte en bois précieux sculptée et incrustée de pierreries et d'appliques en or ou en argent, que l'on doit franchir pour pénétrer dans le jardin qui borde le temple principal. Le terme de jardin est bien faible pour décrire ce lieu en tous points exceptionnel.

C'est une œuvre d'art en soi, équivalente à toutes celles que nous verrons à l'intérieur des bâtiments, une œuvre architecturale, une prière végétale : « Devenir jardinier ici est un immense privilège, nous raconta Tenzin, réservé exclusivement aux moines en fin de parcours qui ont leurs propres ouvriers pour exécuter leurs ordres. Pour nous, jardiner est une activité hautement spirituelle, comme toujours en Orient. » Il rayonnait. Toute la tristesse et la colère qu'il avait manifestées dans l'autobus semblaient évanouies.

Helle avait vu juste. Tenzin se trouvait dans son élément et il se sentait visiblement valorisé. Je ne pus m'empêcher de penser qu'un artiste comme lui pourrait prétendre à habiter ce temple, et qu'alors son avenir serait à l'image du lieu : serein et harmonieux. Mais je ne voulais surtout pas revenir sur le sujet.

Assis sur les bords du grand bassin aux carpes qui marque le centre de l'enceinte, Tenzin nous expliqua tout avec générosité avant de nous faire visiter les divers bâtiments qu'il avait fréquentés comme apprenti artiste. Le Norbulingka était devenu un institut dévolu à la religion et aux arts, avec divers bassins parsemés de lotus, des ateliers de menuiserie, de création de *thangka,* et de représentations en peinture, d'initiation à la construction lente et minutieuse des mandalas et des sculptures au beurre, symboles de patience, de perfection et d'impermanence. Tous les ateliers étaient de vastes pièces pleines de boiseries et couronnées par d'immenses verrières dans les reflets desquelles se miraient les nuages de l'Himalaya. Il abritait aussi un centre, le seul véritable centre de littérature tibétaine, sorte de Grande Bibliothèque tibétaine, avec des salles d'exposition adjacentes aux nombreux ateliers et salles de classe. Le Norbulingka se veut ainsi un lieu pour la préservation, mais aussi la divulgation, du patrimoine artistique tibétain, lequel, sans des lieux de ce genre et la grande sagesse visionnaire du dalaï-lama et de ses conseillers, aurait été entièrement détruit par les envahisseurs chinois. La voix de Tenzin prit des accents de détresse pour expliquer que la culture tibétaine survivait avec peine, mais retrouva le sourire pour affirmer qu'il était fier d'apporter malgré tout sa contribution à sa perpétuation.

J'étais ravie, je ne détachais pas mes yeux de lui et ma mâchoire, figée dans un sourire permanent, me faisait mal. L'harmonie du lieu, l'énergie créatrice qui en émanait, la sérénité contagieuse de Tenzin, ma nouvelle amitié avec Helle, la complicité tacite de mon père qui fixait sur pellicule les souvenirs de cette journée précieuse, le bleu même du ciel en trêve de pluie, les queues des paons qui se pavanaient fièrement dans les jardins de ce lieu magique, tout était, comment dire?… parfaitement parfait. Je me sentais flotter tel Avalokiteshvara en fin de cycle de réincarnation.

Nous nous attablâmes le soir dans un restaurant de Sidhbari avant de remonter dans l'autobus qui nous ramena vers Mac Leod Ganj. Il était tellement bondé qu'une dizaine de personnes voyageait sur le toit. Mon père rentra au Ü-pel House tandis que Helle, Tenzin et moi entreprenions de retourner au TCV par les sentiers de la forêt. Dans la moiteur de la nuit, je sentais le corps de Tenzin se blottir contre le mien. Il chercha ma main puis la serra de plus en plus fort. À nos côtés, Helle, j'en suis sûre, faisait semblant de ne rien remarquer.

Après avoir laissé Helle devant sa porte, nous nous engageâmes vers la maison deux, quand soudain Tenzin me poussa dans un coin d'ombre et se jeta sur moi, m'embrassant à pleine bouche, paupières closes, fiévreux et tremblant. Son corps brûlant contre le mien, je me laissai envahir par sa fougue. D'une main, il remonta vivement mon tee-shirt et de l'autre, il fit prestement sauter les agrafes de mon soutien-gorge. Ses lèvres douces mais avides plongèrent vers mes seins. Je me cambrai sous l'impact du désir et lâchai un bref gémissement en sentant ses dents contre mes mamelons. Tenzin bloqua ma bouche avec sa paume tandis que sa main se frayait un passage sous la fermeture éclair de mon pantalon. Il semblait fou, égaré, les yeux clos et la sueur perlant sur son front. Il se frottait contre mes cuisses tandis que ses doigts poursuivaient leur chemin dans mon slip. Mon cœur battait à tout rompre, menaçant de sortir de ma gorge. J'eus peur. Je manquais d'air sous sa paume qui bloquait ma bouche. Je le repoussai doucement, une fois, deux fois, jusqu'à ce qu'il lâche prise. Il fit un pas en arrière et me regarda, hagard. Sa cage thoracique tremblait encore sous le coup de l'émotion. Face à face, nous nous regardions intensément, comme deux aimants luttant pour résister à la puissance du magnétisme. L'attraction était trop forte. Nos bouches se retrouvèrent en un long baiser. Puis, main dans la main sous la pluie qui recommençait à tomber, nous rejoignîmes nos dortoirs respectifs.

14.

Je ne le revis que le surlendemain. Je l'avais cherché sans succès dans la maison, et avais tenté de l'apercevoir à l'école, sans plus de succès. Helle non plus ne l'avait pas croisé. Je me souviens que le ciel était aussi plombé, noir et brumeux que mon humeur, mon angoisse devant son absence inexplicable après ce que nous avions vécu le dimanche. Lorsque je le vis, au fond de la cour, sous une pluie battante qui se déversait en trombe depuis deux jours, je m'aperçus que le ciel était en fait de la couleur de son regard. Charbon délavé. Tenzin était livide malgré son teint mat, les joues creuses, un pli sur le front et entre les sourcils, toute la misère du monde dans ses yeux brillants comme s'il avait pleuré ou allait pleurer, là, au milieu de tous. Désespéré. Voilà l'impression qu'il dégageait. Complètement, totalement désespéré, comme s'il avait du mal à se tenir debout, s'appuyant contre le mur de ses toutes dernières forces.

Aujourd'hui, en me souvenant que sa détresse psychologique était flagrante, je m'en veux. J'aurais dû faire quelque chose, le dire à quelqu'un, prévenir mes parents, je ne sais pas, faire quelque chose! Mais au lieu de l'aider, moi j'ai pris ça personnel. J'ai eu la réaction la plus nombriliste et la plus égoïste qui puisse être : je me suis vexée! Sûre que ma petite personne ne pouvait qu'être le centre de son univers, ben oui, j'ai pensé qu'il regrettait la fougue de ses gestes mais qu'au fond il ne m'aimait pas, au point que cela le rendait malheureux. Pourtant, quand il m'a aperçue, il s'est un peu ressaisi et a tenté un sourire. «Charmant, ai-je pensé, il ne veut même pas que ça se voie, ça lui nuirait de me sourire vraiment!» Et, l'ego remonté à bloc, je suis retournée en classe, furieuse. Pauvre conne criminelle que je suis. Je ne me le pardonnerai jamais.

À la fin de cette grise journée, tandis que je ruminais ma colère, Helle est venue me dire que lui et son ami Dagbo, lequel, contrairement à Tenzin, comprenait parfaitement l'anglais, nous donnaient rendez-vous le lendemain soir à la sortie de leur cours de philosophie bouddhiste. J'étais prête à prier sur-le-champ Tara, Chenrezig, Manjushri, n'importe lequel des cinq mille dieux hindous, ou Jésus ou Yahvé ou que sais-je encore, tout pour ne plus jamais voir ces tonnes de détresse dans les yeux de mon amour. J'avais vraiment hâte de le retrouver.

15.

Le lendemain soir, la lune semblait une pastèque orange posée sur les cimes hima- layennes autour desquelles s'effilochaient les nuages. Helle m'a accompagnée pour que nous puissions partir ensemble dès la fin du frugal repas du soir.

Je me sentais désormais bien intégrée, me levais avec les autres, faisais les mêmes activités, chantais en essayant de reproduire les sons, chahutais avec eux, grimpais moi aussi sur le toit de la maison pour faire voler un sac de plastique bleu en guise de cerf-volant. J'adorais *amala*, ne me lassais pas de la regarder lisser ses cheveux, rosir ses lèvres, discrètement et sans miroir. Elle me peignait tous les matins, veillant à ce que mes cheveux soient lisses et élégamment torsadés sur le sommet de mon crâne, ce qui avait pour effet d'affiner encore mon long visage et d'étirer mes paupières. Je me disais que puisqu'elle me coiffait à sa façon, selon les canons de beauté tibétains, je plairais d'autant mieux à Tenzin. Le concernant, j'essayais de ne rien laisser paraître, ne pas le chercher des yeux, ne pas m'attarder dans la salle commune des garçons, ne pas courir le rejoindre quand d'aventure je l'apercevais en contrebas de la pente devant la maison. Ma vie au TCV aurait pu être paisible, simplement pleine de découvertes, d'innovations et de nouvelles rencontres quotidiennes. En vérité, bien que je semblais si bien intégrée, la passion et le chaos couvaient en moi et mobilisaient mon attention.

Le tumulte de mon cœur et de mon esprit s'ajoutait au trouble physique qui ne me quittait jamais. Jamais. Ni le matin au réveil, ni pendant les chants censés nous apaiser, ni en classe et encore moins au retour de celle-ci. Sans cesse je vivais dans l'attente de le voir, l'apercevoir, détecter un subtil signe que je pourrais interpréter comme une annonce de rendez-vous, ou au moins comme un simple signe d'égard. Mais non, rien. Plus mes attentes étaient frustrées, plus mon attente devenait insupportable et m'occupait tout entière. Mais quelle horreur que cette vie-là, me disais-je. Jamais de tranquillité, ni de solitude, ni d'intimité. Pas pouvoir claquer la porte de sa chambre et reprendre son souffle. Pas pouvoir avoir un copain et se promener tranquillement avec lui, main dans la main, le présenter à tous et être simplement bien ensemble. Helle mise à part, personne, absolument personne, ne devait rien savoir, et heureusement que je l'avais pour pouvoir me confier et déverser ma peine. « Tu es égoïste, me répétait-elle. Tu ne vois pas leur vie ? Ils n'ont pas le choix, et toi, tu ne penses qu'à toi ! Tu ne comprends pas ? » Non. Je ne comprenais pas.

Mais ce soir-là, nous avions un plan. Après le repas, nous nous sommes éclipsées et avons traversé la forêt de Forsyth Ganj qui descend jusqu'à Mac Leod Ganj, puis avons emprunté le chemin à pic défoncé par la mousson qui descend jusqu'au bâtiment du gouvernement, à proximité du Ü-pel House où logeaient mes parents. Je ne voulais pas risquer de les rencontrer alors j'avançai avec crainte dès que nous atteignîmes, en nage, la grande porte tibétaine qui marque l'entrée de la partie réservée à l'administration tibétaine, elle-même située à proximité de la bibliothèque et du temple de Nechung. Tenzin et Dagbo, avec les garçons de leur âge, venaient dans une des salles de classe de la bibliothèque suivre un cours de haut niveau sur le bouddhisme tibétain. Mes parents suivaient également un cours à cet endroit, peut-être même avec le même moine, mais sans doute pas aussi pointu. Je me disais que j'aurais adoré avoir une conversation avec Tenzin sur ces sujets, ou du moins, juste l'écouter en parler, mais ce n'était pas possible. Je me disais que j'apprendrais bien le tibétain moi aussi. Grâce à *amala*, je savais dire quelques phrases, compter jusqu'à dix, nommer les parties de mon visage et de mon corps. Je disais des choses. Je rêvais. Je rêvais cette relation au moins autant que je la vivais. Nous avions rendez-vous sous le grand déodar au pied des marches de la bibliothèque. Craintive, je restais dans l'ombre tandis que Helle sous le lampadaire guettait leur arrivée. Nous étions convenues d'emmener Tenzin et Dagbo au *Chocolate Lodge* pour leur faire découvrir le succulent chocolat chaud à la crème. Lorsque j'entendis leur groupe sortir en ordre imparfait, je me tassai dans l'ombre, mais Tenzin et Dagbo ne se montraient pas. Ils ne se montrèrent que quinze minutes plus tard, à dessein, lorsque le groupe de leurs camarades se fut éloigné. Je sortis alors timidement de ma cachette et Tenzin, contre toute attente, me prit précipitamment la main qu'il serra dans la sienne pour m'entraîner sur le chemin. Dans un désordre avide, il laissa ses mains courir sur tout mon corps et m'embrassa jusqu'à en perdre le souffle. C'était la récompense à toute notre attente, toute la privation dont, je le savais à présent, il souffrait autant que moi.

En arrivant au *Chocolate Lodge,* mon cœur battait la chamade, et pas seulement à cause de la forte dénivellation de la pente.

La scène qui suivit me révolte encore aujourd'hui quand j'y pense. Amaïdhi et Badra Duha, les propriétaires de la chocolaterie, affichèrent une hostilité sans fard dès qu'elles virent Tenzin et Dagbo passer le pas de leur porte. Tenzin lâcha aussitôt ma main et baissa les yeux pour ne plus les relever. Amaïdhi les interpella aussitôt en hindi et une conversation vive, aux accents de plus en plus hostiles, s'engagea entre eux et Helle qui, bientôt, éleva le ton. J'assistai à cette dispute, médusée.

— Viens, partons et ne revenons plus jamais ici ! m'a dit Helle en me poussant dehors.

— Mais qu'est-ce qu'il se passe ? demandai-je, bien que j'eusse peur de comprendre de quoi il retournait.

Je savais que les Indiens haïssaient les Tibétains et que les deux peuples ne se fréquentaient que par obligation. Je savais aussi que les Tibétains n'accueillaient pas mieux les Indiens : un Tibétain du camp avait osé épouser une Indienne, de plus hindoue, et devait vivre en paria avec leurs enfants qui n'étaient acceptés ni dans une communauté ni dans l'autre. Mais je ne m'attendais pas à cela de la part de jeunes femmes libres et entreprenantes, qui avaient étudié à l'étranger, telles qu'Amaïdhi et Badra Duha. Toute la tristesse du monde se lisait à nouveau dans les yeux de Tenzin, ou bien était-ce de la haine ? Je ne savais à quoi attribuer l'éclat mat qui brillait dans son regard d'ébène sous les reflets froids de la lune.

— Elles disent qu'elles ne veulent pas avoir d'ennuis et que si les clients les voient chez elles, ils ne reviendront plus, m'expliqua Helle.

— Mais leurs seuls clients sont des étrangers comme nous, personne d'autre n'a les moyens d'aller là! m'écriai-je, la voix cassée par les larmes de dégoût qui affluaient à ma gorge. Et les étrangers n'ont rien à foutre de leur xénophobie…

Dagbo et Tenzin marchaient derrière nous, puis Dagbo rejoignit Helle et murmura quelque chose à son oreille.

— Tenzin veut rester avec toi, il va te raccompagner lui-même, me dit-elle avec un sourire.

Mon cœur, en proie à trop d'émotions contradictoires, se remit aussitôt à cogner contre mes côtes. Je sentis le rouge envahir mes tempes, heureuse de pouvoir compter sur la discrétion de la pénombre.

— Ne t'inquiète pas, murmurai-je, tout va bien aller. On ne va pas tarder.

— Tu es sûre?

— Mais oui, rentrez de votre côté.

Elle m'adressa un clin d'œil et, prenant Dagbo par le coude, l'entraîna vers la forêt de Forsyth Ganj. Restés seuls, Tenzin me sourit en posant tendrement la main sur ma joue, yeux dans les yeux. Nous ne pouvions pas parler, et pourtant, rarement deux êtres furent aussi parfaitement au diapason l'un de l'autre que nous deux ce soir-là.

Serrant mon poignet, il m'entraîna dans le sens opposé au chemin du TCV, vers le chemin de déambulation et de dévotion rituelles, le *kora*, qui mène au Tsuglagkhang d'où, quelques jours auparavant, mon père avait surpris les jeunes intouchables qui travaillaient à la construction, là aussi où Tenzin et moi nous étions déjà embrassés. Un lieu saint, imprégné de paix et de calme, en pleine nature mystique sur laquelle veillaient des *stupa* de pierre et des prières gravées dans des morceaux de granit, qui pour nous deux était un lieu de culte rendu à la déesse Toma Mons, équivalent tibétain, s'il est possible, de la Vénus romaine. Toma Mons, je la connaissais parce que ma mère, transformée d'ailleurs par ses cours de philosophie et d'astrologie, m'en avait parlé le matin même, lors d'une pause entre deux cours à l'école. Elle m'avait parlé aussi de la grande et majestueuse Kouan-Yin, *bodhisattva* de la compassion et émanation féminine de Avalokiteshvara–Chenrezig, et qui fait l'objet d'une véritable dévotion dans toute l'Asie. Kouan-Yin est comme Marie, m'avait dit Sylviane, et Toma Mons comme la Vénus romaine ou l'Aphrodite grecque. Autant dire que ce soir-là, dans la proximité de Tenzin, j'étais prête à croire inconditionnellement en Toma Mons bien plus qu'en Marie !

Quant à lui, je ne sais pas qui, d'un dieu ou d'un démon, que les Tibétains appellent Dorjé Shugden, s'est emparé de Tenzin. Nous marchions main dans la main quand la fièvre du désir s'empara à nouveau de lui. Il me poussa doucement derrière une niche où s'entassaient des pierres à prières sculptées, et nous tombâmes sur un lit de végétation drue et dense, à la faveur d'une obscurité quasi totale, qui eût été insupportable s'il n'avait été là.

Ses doigts s'affolèrent et commencèrent à fouiller mes vêtements, jusqu'à ma peau, puis ma peau pour caresser, palper puis pétrir mes hanches, mes cuisses, mes fesses, mes seins qu'il prit dans ses lèvres. J'avais le feu aux joues et manquais de souffle, mais la fébrilité s'empara de moi lorsque je compris qu'il était sur le point de pénétrer en moi, suant et murmurant de drôles de sons, comme en proie à une fièvre maligne. J'eus envie moi aussi, violemment envie de son désir éruptif comme un volcan, de sa folle convoitise d'homme, inattendue et brutale. L'agrippant aux épaules, je cambrai mes reins pour emboîter mes hanches au plus serré des siennes, enroulant puissamment mes cuisses autour de ses jambes. Je le sentis pénétrer mon ventre dans un étourdissement. Malgré la puissance enivrante de ses coups de reins, il restait tendre et attentionné, posant sa main sous ma tête pour m'éviter de me blesser contre les roches alentour. La fièvre, partie de mon pubis, battait jusque dans mes tympans. Tenzin gémit dans mon cou puis son corps s'abattit sur le mien, le recouvrant. Il se releva aussitôt, caressant ma joue, couvrant mes paupières, mon nez, mes lèvres d'une pluie de baisers merveilleusement tendres. Pleins, tout pleins d'amour. Je voyais la lune entre les branches au-dessus de sa tête. Une lueur blanche éclaira soudain son visage et je vis qu'il pleurait. Et moi, tout aussi égarée que lui, je restais là à le bercer. Il m'embrassait, je le berçais et ainsi jusqu'aux premières lueurs de l'aube qui nous endormirent dans les bras l'un de l'autre. Beaucoup plus tard dans la matinée, ce ne sont pas les larmes mais les gouttes de pluie sur mon visage qui me réveillèrent. Tenzin s'ébroua à son tour et me fit comprendre qu'il devait filer de son côté, seul. J'acquiesçai du menton, résolue à attendre dans les buissons avant de regagner le Ü-pel House. Que dirais-je à mes parents? Je le regardais s'éloigner sur le chemin, les yeux, la peau, le cœur pleins de lui. Mon amoureux se retourna et m'adressa un sourire. Son magnifique sourire. Un rai de lumière.

Lorsque j'arrivai au Ü-pel House, mes parents ne s'y trouvaient pas. Je dus demander au responsable de m'ouvrir la porte. Je m'écroulai sur leur lit, m'y roulai en boule et dormis toute la journée. Ma mère arriva le soir, affolée par mon absence au TCV. Je me blottis dans ses bras sans rien dire. Elle ne me posa aucune question, se contenta de me caresser les cheveux, longuement, comme quand j'étais petite.

16.

Dans la cour de l'école, Helle m'accueillit avec une joie sans mélange. Elle s'en voulait de m'avoir laissée seule avec Tenzin l'avant-veille au soir et craignait de devoir s'en expliquer. Dès qu'elle aperçut mes cheveux blonds dans le vent du matin, elle fonça sur moi et m'entoura de ses bras. Je ne savais pas encore si j'allais lui dire la vérité. Après tout, nous ne nous connaissions que depuis peu, et même si elle était mon indéfectible, et irremplaçable, complice, sans laquelle mon histoire avec Tenzin n'aurait peut-être même pas eu lieu, elle était plus jeune et je ne voulais ni la choquer ni la charger du poids d'un tel secret. J'optai pour une demi-vérité.

— Je suis restée quelques heures avec Tenzin, lui dis-je, et je pense que j'ai dû attraper froid à cause de la pluie, alors j'ai préféré le laisser rentrer seul parce que j'étais fiévreuse et trop fatiguée pour grimper jusqu'ici en pleine nuit.

— Hum, oui, je comprends… me répondit mon amie avec un air évasif.

— Et vous alors? Raconte!

Elle rougit:

— On s'est embrassés longuement dans la forêt, souffla-t-elle avec un sourire radieux et une totale confiance, ce qui me fit regretter mes propres cachotteries.

Je l'entourai de mes bras. En regardant derrière son épaule, je vis que nos camarades tibétains riaient de nos accolades publiques, lesquelles heurtaient sans doute leur pudeur naturelle et la retenue qui reste à la base de leur éducation.

— Tu sais, poursuivit Helle en se dégageant de mon étreinte, Tenzin s'est beaucoup inquiété. Il est venu me voir quatre fois dans la journée et…

— Et? Quoi?

— Il a même demandé de tes nouvelles à *amala*, alors…

— Alors quoi? Helle, dis-moi!

— Eh bien, je pense que tout le monde sait que vous êtes ensemble maintenant.

Je sentis mes joues s'empourprer instantanément. Tabarnak! Tout le monde allait nous surveiller, car les rapprochements entre Tibétains et étrangers étaient strictement interdits. C'en était fini de nos rendez-vous nocturnes. Je sentis une lourde chape de tristesse tomber sur mes épaules.

— Tenzin s'en fiche, je crois, poursuivit Helle. Il lui importait plus d'avoir de tes nouvelles que de se protéger. Il m'a même dit que si tu ne revenais pas aujourd'hui, il irait voir tes parents.

J'en restai interloquée, mais surtout émue. Si, comme on dit, « il n'y a pas d'amour, il n'y a que des preuves d'amour », eh bien, mon amoureux les avait cumulées. Mon cœur battait à tout rompre dans ma poitrine. Sans plus penser à rien d'autre, je me mis à sourire aux anges.

— D'ailleurs, il m'a donné ça pour toi…

Mon amie me tendit un papier plié en quatre. Je la regardai sans comprendre. Une lueur de malice illuminait le bleu de son regard.

— Il est venu me demander de traduire une lettre pour toi… Il a ensuite recopié la traduction.

Je dépliai le papier et me trouvai face à une écriture d'enfant, un enfant qui avait soigneusement recopié des mots en s'appliquant :

L'humanité n'est qu'une fleur éphémère sur l'arbre du temps
Tu seras toujours dans mon cœur
Et je penserai à toi au jour de ma mort

Tenzin

Un courant glacé parcourut aussitôt mon dos. Helle agrippa ma main :
— Il t'aime, Emma, c'est merveilleux !

— Mais... pourquoi parle-t-il de mort? balbutiai-je.

— Parce qu'il est bouddhiste, voyons! Tu le sais bien, il est aguerri à l'impermanence des choses et de la vie, et il croit en la réincarnation, alors... il ne peut pas te témoigner plus d'amour qu'en te disant que tu es dans son cœur non seulement dans cette vie mais aussi dans la prochaine.

Je regardai mon amie avec émotion. Toutes ces notions lui semblaient aller de soi. «Quelle sagesse chez une si jeune fille», me dis-je, regrettant de ne pas lui avoir tout raconté.

Durant le reste de la journée, dès que j'avais un moment, en classe et dans la cour, je dépliais mon papier, le lisais et le relisais sans arrêt. Plus ses mots s'imprégnaient en moi, plus mon cœur se gorgeait de joie. Peu à peu mes inquiétudes cédèrent la place à une immense gratitude. Inutile de dire que j'avais totalement oublié Mathieu et le Québec. Tenzin occupait toutes mes pensées.

17.

Les deux semaines qui suivirent sont restées gravées dans ma mémoire comme les plus belles de ma vie. Deux semaines remplies d'amour, de tendresse, de cadeaux au rythme des rendez-vous secrets et des câlins. Du bonheur pur jus. Jamais auparavant, et jamais depuis, je ne me suis sentie plus aimée, plus désirée, mais aussi honorée. Tenzin était une belle personne. Toute la beauté de son être rejaillissait sur moi comme un soleil ardent qui me donnait confiance en la vie et en ma capacité à y trouver ma juste place.

Pourtant tout a mal commencé. J'ai constaté dès le lendemain matin que Helle avait vu juste. Dès que j'ai mis le pied dans la salle de bain commune de la maison deux, les filles se sont mises à se pousser du coude avec des sourires entendus en me lançant des regards furtifs. Pendant que nous déjeunions sur la terrasse, *amala* me fixait d'un air sérieux tandis que *pala* détournait les yeux dès que je pivotais la tête vers lui, justement parce que je sentais son regard peser dans mon dos. Je me sentais extrêmement mal. J'avais tout fait pour me fondre dans le groupe autant que possible, et voilà que mon histoire avec Tenzin me remettait sur la sellette. Je me suis coiffée tout seule en imitant la coiffure de ma voisine de dortoir, j'ai enfilé les habits du TCV et me suis promis de prendre mon trou. Je voulais qu'on m'oublie parce que toute cette attention portée sur moi allait immanquablement m'empêcher de vivre mon histoire avec mon amoureux. Mais il était trop tard. Tous, sans connaître les détails, savaient, c'était flagrant. Or, les rapprochements entre Tibétains et visiteurs occidentaux étaient très mal vus, et donc très surveillés, qui plus est entre mineurs. J'en voulais à Tenzin de ne pas avoir tenu sa langue et de nous avoir mis dans cette situation. Sans doute que mes parents allaient vite être au courant, si ce n'était pas déjà le cas.

En descendant vers l'école, j'avais le cœur lourd. Je serrais le mot de Tenzin dans ma poche, tentant d'y accrocher mon esprit comme à une bouée de sauvetage. En classe, Helle me fixait du regard, car elle voyait bien que je me retenais d'éclater en sanglots. J'ai exceptionnellement eu un cours de maths avec ma mère ce matin-là, et pendant toute la période, j'ai tenté d'établir un contact visuel avec elle. En vain. Elle faisait son cours comme si je n'étais pas dans la classe, comme si, du moins, j'étais une élève quelconque. Lorsque la cloche a sonné, elle est enfin venue vers moi, m'a prise dans ses bras et m'a demandé si tout allait bien. Elle me regardait intensément, scrutant chaque détail de mon visage comme si elle cherchait à y lire un message. Mais elle ne m'a rien dit d'explicite. J'ai décidé de ne rien lui dire non plus. Nous nous sommes quittées et je suis sortie dans la cour. J'avais à peine posé le pied dehors que j'ai vu Tenzin accourir à toutes jambes.

Il s'est planté devant moi, avec un sourire à se décrocher la mâchoire. Son regard était tendre et doux comme de la moire sombre et comme éclairé de l'intérieur par une vibrante incandescence communicative. Il me dévorait des yeux. La puissance de son désir parcourait chaque millimètre de ma peau et je me sentis m'empourprer, incapable de parler et de bouger. Il a ouvert la paume. Deux magnifiques boucles d'oreilles d'ambre jaune et rouge ornées de boules d'argent ouvragé étincelèrent aussitôt. Comme je restais interdite, il prit ma main et y déposa les bijoux. Nous restâmes ainsi face à face pendant toute la durée de la récréation sans nous quitter des yeux. Seuls au monde au milieu de la cour bondée où tous nous regardaient en s'esclaffant. L'amour, le vrai, ne se cache pas. À la fin des cours, il se plaça d'office à mes côtés tandis que Helle marchait de l'autre côté. Lorsque nous arrivâmes devant sa maison, Tenzin la prit à part et je les vis parler en tibétain, l'air de conspirer.

— Il voudrait que tu ailles le chercher à ses cours du soir, me dit-elle enfin.

Derrière elle, Tenzin me souriait toujours.

— Oui, bien sûr, répondis-je sans hésiter, en acquiesçant du menton pour que Tenzin comprenne bien que j'étais d'accord.

Il s'approcha alors de moi et déposa un baiser sur ma joue, enfreignant ainsi toutes les règles de conduite du TCV, voire l'ensemble des codes culturels de son peuple. Embrasser une fille en pleine rue, en plein jour, ce n'était tout simplement pas imaginable, et pourtant il l'avait fait. Voilà, ça y était. Au bout de cette journée, j'étais officiellement devenue sa petite amie. Dès lors le temps me parut infiniment lent. Je comptais les minutes qui me séparaient de notre rendez-vous du soir, après son cours de bouddhisme.

— Helle, est-ce que je peux manger chez toi? demandai-je à ma complice. Ça va être trop difficile pour moi de quitter la maison si j'y retourne.

— Bien sûr, mais à condition que je vienne avec toi. Dagbo va au même cours du soir que Tenzin, tu sais…

Elle m'avait dit ça en m'envoyant un clin d'œil.

Autant dire que les leçons ont été expédiées à la vitesse grand V! Nous avons pris un bain chaud, nous sommes préparées, nous maquillant juste ce qu'il faut, avons enfilé des vêtements plus seyants. J'ai soigneusement remonté mes cheveux pour dégager mes oreilles auxquelles pendaient les boucles d'oreilles que je venais de recevoir. Je connaissais le prix de ce genre de bijoux et me demandai où Tenzin avait trouvé la somme nécessaire à leur achat. «Bah, quand on aime on ne compte pas», me dit Helle, bien qu'elle et moi savions que cette phrase dans le contexte ne signifiait rien. Fin prêtes, et sans avoir vraiment soupé, nous avons dirigé nos pas vers le temple du TCV où se donnaient les cours de bouddhisme.

Après avoir attendu devant la porte et vu sortir tous les élèves, nous sommes restées là, désenchantées, car Tenzin et Dagbo n'étaient pas là. Comme nous nous demandions si nous avions bien compris, nous avons vu nos deux amoureux se hâter vers nous, essoufflés. De fait, ils ne venaient pas du temple mais, toutes à la joie de les retrouver, nous n'avons pas vraiment prêté attention à ce détail. Un autre détail en revanche m'a tout de suite frappée : Tenzin portait une chemise, une belle chemise mauve à col pointu.

«Wow!» m'écriai-je avec un large sourire. Il se mit aussitôt à rire en renversant la tête, manifestement heureux de m'impressionner. À ses côtés, Dagbo souriait timidement en fixant le bout usé de ses *running shoes*. Enhardi par la bonne humeur, Tenzin me prit par la taille, m'entraînant vers la sortie du TCV. Dagbo et Helle marchaient derrière nous.

Une nuit épaisse sans étoiles nous enveloppait, mais je m'inquiétais quand même. Ce n'était pas parce que j'étais devenue la blonde attitrée de Tenzin que c'était pour autant accepté, au contraire. On se moquait déjà de moi, je ne voulais pas aggraver la situation. Tenzin, lui, s'en moquait complètement. Je me demande même s'il ne faisait pas exprès de nous faire remarquer. Défi, illusion ou complexe d'infériorité transformé en arrogance ostentatoire ? Je me pose encore la question. En tout cas, durant ces deux semaines, Tenzin n'a cessé de chercher à s'afficher avec moi, ignorant les attaques, les engueulades, les interdits, les rappels à l'ordre et les menaces de punitions qui se sont pourtant multipliés. Chaque jour il a changé de chemise, de jean, de chaussures et n'a jamais manqué de m'offrir un nouveau bijou.

J'ai fini par en être mal à l'aise. Je redoutais même le moment où il allait me tendre un cadeau, devant les regards mi-moqueurs, mi-haineux de notre entourage. Je n'arrivais pas à simplement me réjouir. Mon cœur était trop serré pour ça. D'où sortait cet argent, tout à coup ? À quoi correspondait son état d'euphorie permanent et sa non moins soudaine propension à la provocation? Je lui posai la question et sa réponse, je dois le dire, me désarma complètement : il était amoureux, amoureux fou de moi, et ça le rendait heureux. C'est ce qu'il a dit à Helle qui me l'a transmis. J'en étais émue et mes doutes et mes peurs finirent par me faire honte. Il avait si peu connu le bonheur, pourquoi fallait-il que j'aille le gâcher avec toutes mes questions, en faisant plus attention aux réactions alentour qu'aux sentiments sincères de mon amoureux? Ne voulait-il pas passer tout son temps libre avec moi et ne le voulais-je pas également? Je décidai donc de me laisser aller et de profiter de ce bonheur et de ce plaisir.

— Tu as un nouveau petit ami, il paraît? me demanda ma mère au lendemain de la deuxième soirée que j'avais passée avec Tenzin.

— Oui, répondis-je en la regardant dans les yeux.

— Tu fais bien attention, n'est-ce pas?

— Bien sûr.

Sylviane n'a rien dit. Elle s'est contentée de m'embrasser sur le front.

Tous les jours à l'école, nous passions les récréations ensemble, sans nous cacher. Le soir, j'allais l'attendre devant la fontaine qui se dressait au milieu du TCV et il accourait me rejoindre après ses cours. Nous partions ensuite vers le lac Dahl qui se trouvait de l'autre côté de l'enceinte du village des enfants et nous promenions sous la lune en nous embrassant tendrement. Lorsqu'il se mettait à pleuvoir, Tenzin nous mettait à l'abri dans un ancien nid d'aigle. Là, nous pouvions nous rapprocher et nous caresser, et plusieurs fois, nous y passâmes une partie de la nuit, nus l'un contre l'autre. Lorsque je rejoignais mon lit dans le dortoir des filles, je savais que toutes, ou presque, guettaient le moindre de mes gestes, et pas seulement parce que le matelas grinçait. Mais c'était vraiment le dernier de mes soucis. Les fins de semaine, il me faisait visiter les villages et les temples alentour, et jamais je ne me suis demandé si notre relation pouvait en quoi que ce soit être contraire aux enseignements bouddhiques.

Rien, ni l'entourage, leurs critiques, leurs moqueries et surtout leur jalousie, ni *amala* ni *pala* ni ses maîtres ni mes parents, ni même Helle qui de toute façon vivait son histoire avec Dagbo, dès lors rien, absolument rien, ne pouvait m'arrêter. Rien ne pouvait nous arrêter. Le bonheur, c'est l'illusion que rien ne passe et que tout demeure. Tout à l'opposé du fondement du bouddhisme dont la philosophie est centrée sur l'impermanence, donc le changement permanent des situations, des êtres et des corps. Selon le bouddhisme, il faut intégrer la loi du changement perpétuel pour cesser de souffrir. Tenzin le savait peut-être. Il y pensait peut-être, je ne sais pas. Moi je ne pensais à rien. Pour moi, nous étions heureux, voilà tout, et le bonheur n'a pas besoin de justification. Ainsi se sont écoulées deux semaines de rêve.

18.

Un rêve? La suite me porta à croire que j'avais rêvé, que rien n'avait existé, que Tenzin et moi n'avions jamais été heureux, amoureux, complices, par-delà la langue, les interdits et les frontières culturelles. Ma mère me rabattait les oreilles avec la loi de l'impermanence chère au bouddhisme. Je n'y avais pas vraiment réfléchi avant qu'elle ne s'abatte sur moi avec la force d'un couperet. Mon amour s'en est allé.

Il est vrai que rien ne dure toujours. Les amours comme les peines, les meilleurs comme les pires moments de la vie ne sont pas destinés à perdurer. D'aucuns prétendent que si une relation n'a pas duré «toute la vie», elle «n'a pas fonctionné». Absurde. Elle a fonctionné puisqu'elle a eu lieu. Elle a fonctionné tant que cela était nécessaire, puis s'est transformée, comme toute chose dans la vie. L'univers tout entier n'est que mouvement perpétuel, transformation incessante. Sans cela la vie disparaîtrait. Fixer les choses, les êtres et les sentiments «pour toujours» serait faire cesser la vie, car seule la mort est immuable. Je sais cela. Nous savons tous cela quand bien même, comme les moines, nous ne méditions pas là-dessus à longueur de journée. Mais, quoi qu'en ait dit Siddharta, ça ne m'empêche pas de souffrir. Il me reste beaucoup de chemin à faire pour devenir bouddha, si je le deviens jamais! Le terme *bouddha* se rapporte à un état, non une personne. Le bouddhisme est une philosophie qui consiste à nous faire nous détacher progressivement des quatre causes principales et universelles de la souffrance: la pauvreté, la maladie, la vieillesse et la mort.

On me l'a répété à satiété pendant mon séjour au TCV et je l'ai lu dans les livres. Mais je souffre encore tellement de la disparition de Tenzin que je pense que le bouddhisme ne pourra jamais rien pour moi. La méditation parvient à arrêter le flot tumultueux des pensées toxiques, affirme également le bouddhisme. *Hey,* Emma, t'as encore bien du boulot devant toi!...

Donc, après ces deux semaines de rêve où nous avons révélé notre amour à tous, Tenzin a disparu. Purement et simplement. Trois jours s'écoulèrent sans que je le revoie. Dagbo et lui n'étaient nulle part. Évanouis, comme dans un cauchemar.

Je vivais recroquevillée en moi-même. J'avais perdu l'appétit et le sommeil. Helle pleurait Dagbo. Qu'avions-nous fait pour qu'ils nous fuient ainsi ? Au TCV, les sourires en coin avaient cédé la place aux mines d'enterrement. *Amala* tournait, hagarde, sur la terrasse, le regard perdu dans les cimes. Elle ne chantait plus en démêlant sa chevelure de jais. Elle se figeait soudain, tordant ses mains, encore et encore et encore, comme un automate cassé. Mes parents s'avouaient démunis. Ma mère me serrait contre elle à m'étouffer. Je la repoussais, car je ne supportais plus son contact. Je peinais à mettre un pied devant l'autre. L'amour de Tenzin m'avait portée au sommet de l'Himalaya. Sa disparition m'avait précipitée tout au fond de l'abîme. Je voulais mourir.

Le quatrième jour, Pema Choezom, sœur du dalaï-lama et directrice du TCV, vint rencontrer *amala* et *pala* puis repartit tête basse, sans prononcer un mot. Le soir Helle m'apprit, alors que je dormais chez elle avec mes parents qui ne voulaient plus s'éloigner de moi, que quatre autres jeunes gens, deux filles et deux garçons, de seize à dix-neuf ans, avaient également disparu.

Sous les draps où nous nous recroquevillions côte à côte, elle me dit qu'on redoutait le pire, mais de quel « pire » parlait-on ? On murmurait que Tenzin et ses amis faisaient partie d'une organisation politique dissidente, devenue secrète depuis que le dalaï-lama l'avait interdite. Dès lors, j'imaginai pire que le pire.

19.

Je ne sais pas comment, toujours est-il que Helle avait trouvé le moyen de prendre rendez-vous avec le chef de l'organisation secrète Shishapangma, à laquelle appartenaient Tenzin, Dagbo et les quatre autres adolescents disparus. Je redoutais ce contact autant que j'avais hâte qu'il ait lieu. Je voulais savoir tout en appréhendant ce que j'allais découvrir. Aller au-devant de la vérité n'est jamais facile. « Shishapangma signifie "la crête de montagnes au-dessus de la plaine herbeuse", m'expliqua Helle. C'est une image, celle du Tibet traditionnel d'avant le bouddhisme. »

Nous nous trouvions sur la terrasse de la maison deux et j'essayais de comprendre ce que signifiait cette image, quand je vis arriver ma mère, livide et essoufflée.

Elle souffrait d'une grave infection aux jambes. Ses chevilles étaient émaillées de vilaines pustules d'un centimètre de profondeur d'où s'écoulait un pus jaune et nauséabond. Vilaine et fulgurante progression bactérienne qui faisait suite à des piqûres de moustiques qu'elle avait grattées dans son sommeil, ce qui avait eu pour effet de répandre le venin dans lequel s'ébattaient tous les microbes véhiculés par ces maudits insectes, surtout pendant cette saison chaude et humide.

Les eaux croupies de la mousson produisent un bouillon de culture idéal à la propagation des bactéries. Ma mère regrettait d'avoir refusé de se protéger les pieds avec des chaussures adéquates. Autour de chacune de ses piqûres s'était formée une auréole rouge au centre de laquelle pointait une pustule. Elle souffrait beaucoup et je n'osais donc pas lui dire que j'avais moi aussi quelques abcès similaires au niveau des mollets. Dans mon cas, l'infection s'était développée quasiment en une seule nuit, depuis le départ de Tenzin, mais j'étais tellement choquée par les événements que je ne songeais pas à me soigner. Cette propagation bactérienne me gênait pour marcher mais je ne me sentais pas aussi malade que ma mère dont la vue, lorsqu'elle se posta devant nous, les joues creusées et les yeux cernés, m'inquiéta vraiment.

— Maman ! m'écriai-je. Tu vis à l'Institut d'astromédecine tibétaine ! Tu devrais aller consulter…

— Tu parles comme ton père ! Mais j'ai de la fièvre, alors oui, je vais y aller demain.

— Emma aussi, lâcha Helle contre toute attente.

Je la fusillai du regard. Avait-elle perdu la boule pour me trahir ainsi?

— Quoi? s'alarma ma mère, qu'est-ce que tu as?

— Ce n'est rien, affirmai-je, ce n'est pas du tout comme toi.

Je dus néanmoins montrer mes mollets.

— Emma! à quoi tu joues?

— Et toi, à quoi tu joues?

Nous devions nous rendre à l'institut.

— Je sais que je dois me soigner, concédai-je pour couper court.

— Nous irons dès demain matin, conclut ma mère, mais, Emma, j'ai autre chose à te dire. Voilà... nous partons pour Bénarès après-demain.

Quitter le TCV? Pas question.

— Ce ne sont pas tes jambes qui sont malades, t'as perdu la boule!

— Emma, rien ne sert de rester ici à attendre.

— Vous avez décidé ça comme ça, sans moi, comme si ça ne me concernait pas!

— C'est pour toi qu'on a décidé ça, ton père et moi.

— Mensonge! hurlai-je. Je ne bougerai pas d'ici. Tenzin va revenir et je veux être ici pour l'accueillir.

Je vis Helle qui tournait la tête pour essuyer ses larmes.

— Emma, poursuivit ma mère sur un ton sans réplique. Tu sais que nous devions aller visiter Bénarès, le Taj Mahal, le Rajasthan, etc., nous sommes aussi venus pour ça, autant le faire maintenant. Ça te changera les idées et puis, quand nous reviendrons, d'ici une ou deux semaines, tout sera revenu dans l'ordre.

Je n'entendis qu'une chose. Sylviane croyait au retour de Tenzin. Gilles et elle, malgré leurs différends grandissants et leurs disputes de plus en plus rapprochées, demeuraient mes parents, et en bons parents, ils avaient cherché une façon de soulager ma peine. Moi, si on m'avait laissé le choix, je me serais couchée sur mon lit et j'aurais attendu là sans bouger, sans parler, sans manger ni dormir ni même boire, jusqu'à ce que Tenzin réapparaisse. Mon rêve avait viré au cauchemar mais j'allais me réveiller. De préférence, dans les bras de mon amoureux. Mes parents ne l'entendaient pas de cette oreille. Ils devaient tenter quelque chose pour me sauver. C'était leur rôle, leur responsabilité.

— C'est décidé, conclut-elle. Demain, nous irons au Men-Tsee-Khang. Après-demain nous prendrons l'autobus jusqu'à Simla puis le train jusqu'à Bénarès, puis Calcutta. Plusieurs jours de train.

— Oh, mais quel charmant programme! Prendre un train indien, bondé, infect, puant, avec les inévitables retards, ah oui c'est sûr, c'est vraiment ce qu'il me faut!

Je résistai pour la forme, car je savais bien qu'il en serait ainsi. Nous irions jusqu'à l'autre bout de cet immense pays, jusqu'à l'embouchure du Gange…

— Et Helle? pourquoi elle vient pas avec nous?

— Elle peut venir, dit ma mère en regardant mon amie.

Helle se contenta de secouer la tête. Ma mère et moi parlions en français, elle ne comprenait donc pas toute la conversation. Je me promis de la persuader de nous accompagner. Elle aussi devait se changer les idées. Et si elle venait, ce serait comme la garantie que nous allions revenir au TCV.

L'heure de notre rendez-vous au Shisha-pangma était venue.

— Où allez-vous? s'enquit Sylviane.

— J'ai besoin de marcher, répondis-je en m'éloignant.

La rage au ventre, je dévalai les sentiers de la forêt qui menaient vers Mac Leod Ganj. Il se mit à pleuvoir comme vache qui pisse. Putain de mousson, putain de pays, putain de parents! Helle me suivait en silence, l'air abattu.

Nous arrivâmes trempées devant une maison décrépite et à moitié affaissée comme l'était la majorité des maisons des Tibétains qui avaient la chance de ne pas vivre sous des bâches en plastique. Le chef de «la crête de

175

montagnes au-dessus de la plaine herbeuse »
nous y attendait.

— Il s'appelle Bodnath, me dit Helle.

— Je m'en fous complètement! Il peut bien
s'appeler comme il veut, c'est un criminel!

Je voulais le regarder droit dans les yeux et
lui cracher en pleine figure.

20.

Au lieu de ça, dès qu'il apparut à la porte, je restai subjuguée par la force de ses traits et l'intensité de son regard, la grâce de ses gestes et finalement l'intelligence, la profondeur, l'humanisme qui émanaient de ses propos, de son écoute et aussi de son analyse pertinente de la situation des jeunes Tibétains exilés, analyse expliquée dans un anglais parfait, à la pureté toute britannique. Au milieu de son taudis, Bodnath était un sage avisé et cultivé qui dégageait un charisme irrésistible. Je lui donnais trente ans, guère plus, mais j'appris plus tard qu'il en avait vingt de plus.

Il nous offrit du thé Darjeeling fin et corsé qui nous changeait du thé au beurre et de l'eau chaude. Assis en lotus en face de nous, il se tint prêt à répondre à nos questions, sans esquive. J'avais devant moi le responsable de la disparition de mon amoureux, et voilà que, sans même lui avoir parlé, je le contemplais, respectueuse. Sans nul doute Bodnath était un homme bien. Ces choses-là se voient, se sentent, c'est sans ambiguïté. C'est inscrit dans le regard. Le sien était franc, disponible, ouvert. J'étais déstabilisée. Il me fallait un coupable, quelqu'un que je puisse blâmer pour évacuer ma peine. Si ce n'était lui, alors qui ?

— Où sont-ils ? attaquai-je d'emblée sur un ton sévère destiné à cacher mon trouble.

— Mais je ne sais pas du tout, répondit-il aussitôt, et j'aimerais tellement le savoir ! Tout le monde est certain que je sais où ils sont allés. Le principal conseiller de Sa Sainteté m'a rendu visite à ce sujet, et a proféré des menaces à peine voilées, mais non, je ne sais pas ! Je ne dis pas que je n'y suis pour rien, car ce serait mentir, mais où ils sont allés et dans quel but précis, non, non, malheureusement non, je n'en ai pas la moindre idée…

— Mais c'est vous qui les avez influencés ! répliqua Helle. On dit que vous tenez des discours de révolte, que vous les exhortez à la violence !

— Oui. Cela est tout à fait exact, répondit-il le plus calmement du monde. Depuis une dizaine d'années, je représente l'opposition officielle au dalaï-lama et à son gouvernement en exil. Jusqu'à l'année dernière, je siégeais même au Parlement, comme il se doit dans une démocratie, mais ici c'est une démocratie quand ça convient, dès que cela ne convient plus, cela redevient une théocratie. C'est tout ce que c'est, d'ailleurs. Une théocratie, comme le Vatican ou les États islamiques. C'est forcément ce qui arrive lorsqu'on mélange politique et religion. Sans laïcité de l'État, la démocratie est impossible. Absolument.

— Vous savez bien que le dalaï-lama n'aspire qu'à redevenir le moine qu'il est, dis-je, sourcils froncés. Il va abandonner son rôle politique.

— Le problème ne vient pas de lui en particulier, dit l'homme. Au contraire. Je le sais sincère. Mais il reste l'institution. Rien ne dit que son successeur abolisse la théocratie. Et nous, les jeunes, on le veut, on l'exige ! Le dalaï-lama sait très bien que nous ne renoncerons pas à nos revendications.

Bodnath était influent, persuasif, tout simplement parce qu'il disait la vérité. La vérité sans fard ni ambages. Je le regardais fixement, en me demandant si je devais l'écouter ou fuir. Mais je restais là, tétanisée, subjuguée. J'adorais déjà l'écouter parler. Il le comprit et un sourire étira le coin de ses lèvres.

— Méfiez-vous des apparences, dit-il simplement.

— Oh ça va, hein ! le coupai-je. Nous, la démocratie, on connaît, nous méfier, on a l'habitude, on n'est ni bouddhistes, ni rien du tout, de toute façon. Alors, vous pouvez remballer vos beaux discours.

— C'est très bien, ça, rétorqua-t-il, nullement décontenancé par ma sortie. Moi aussi, quand je vivais en Angleterre, je pouvais être athée, bien sûr. Mais ici ce n'est pas possible. Ce n'est pas permis.

— Pourquoi êtes-vous rentré alors ? intervint Helle.

— Mal du pays ! Enfin… pays, nous n'avons pas de pays, justement. Disons que je pensais que ma place était ici, pour faire évoluer les choses de l'intérieur.

— Pour organiser une secte dissidente ?

— Vous n'y êtes pas du tout, dit-il en souriant. Ni secte ni dissidente. Je suis un penseur, j'ai fait un doctorat en philosophie à Oxford, alors, je ne peux tout de même pas me laisser embobiner par des moines. Mais je n'ai rien de sectaire ni de secret, bien au contraire. Je publie une revue trimestrielle. Après qu'on m'a évincé du Parlement tibétain bien que j'aie été élu, ma revue est devenue mon seul moyen d'expression. La revue est libre. Mes collaborateurs et moi y exerçons une pleine liberté d'expression, enfin, tant que Sa Sainteté, ou ses sbires, ne l'interdisent pas.

— Libre ? Vous dites que ce n'est pas possible, alors comment peut-elle être libre ?

— La revue *Shishapangma* circule ici librement, même dans les autres camps de réfugiés en Inde. Ceux qui veulent discuter avec moi viennent simplement me voir et nous discutons. Ma porte est toujours ouverte, tout comme elle l'est aujourd'hui pour vous. Il n'est pas question que je me cache ni que je me taise. *Shishapangma* signifie…

— Nous savons ce que ça signifie! le coupai-je. Crête de montagnes…

— Mais non! Il sourit. Enfin oui, ça veut dire «crête de montagnes au-dessus de la plaine herbeuse». Il s'agit surtout de la montagne qui sépare le Tibet en deux. J'y vois le symbole du fait qu'il existe deux visions du Tibet, selon le versant depuis lequel on le regarde. Il y a le Tibet traditionnel, matriarcal, nomade et guerrier, adepte de la religion bön…

— La religion bön, c'est de la magie noire! coupa Helle.

— Hummmm… oui. Mais pas uniquement. C'est une religion chamanique, en tout cas, c'est vrai. Tout dépend de ce qu'on fait des forces chamaniques. Le chamanisme existe dans le bouddhisme aussi. Le dalaï-lama ne décide rien sans demander conseil à son sorcier.

— Je sais! m'écriai-je. Mon père s'est retrouvé par hasard dans une cérémonie…

— Ah oui? C'est très, très exceptionnel. Ce sont des cérémonies secrètes auxquelles les Occidentaux ne peuvent normalement pas assister.

— Ben… je ne sais pas. Mais il y était. Ça l'a complètement perturbé.

— J'imagine. Donc, c'est ça, ce Tibet traditionnel existe toujours, malgré que la religion bouddhiste se soit imposée depuis le XIIIᵉ siècle. C'est récent. Le Tibet, à cause de son isolement en altitude, a été le dernier pays à avoir été touché par le bouddhisme…

— … qui existe depuis le Vᵉ siècle avant Jésus-Christ et s'est répandu en Inde, au Japon et en Chine avant d'arriver au Pays des Neiges, récita Helle.

— C'est ainsi qu'on nomme le Tibet…

— Merci, dis-je. J'ai lu Tintin moi aussi.

Bodnath éclata de rire. Il nous resservit du thé et alluma une cigarette américaine. D'où lui venait-elle ?

— Le peuple tibétain est traditionnellement nomade, matriarcal et guerrier, reprit-il. Nous le sommes toujours dans le fond, par atavisme collectif. Les dernières élections ont montré que soixante-six pour cent des Tibétains exilés sont contre la politique du *Middle-Way*. La majorité des Tibétains voudrait retourner aux fondements tibétains traditionnels.

— Le *Middle-Way*? demandai-je.

— C'est la ligne politique suivie par le dalaï-lama depuis 1995 auprès du gouvernement chinois. Avant 1995, il revendiquait l'indépendance du Tibet et le retour pur et simple de son peuple dans son pays. Puis il a changé. Maintenant il demande que le Tibet acquière une autonomie au sein de la Chine.

— Mais il a raison, non ?

— Oui. Le *Middle-Way* est une vision raison-nable, et réaliste. Vous savez, le dalaï-lama est un être exceptionnel. Il possède une culture, un humanisme, une intelligence, une curiosité, un courage, une audace, une bonté surtout, tout à fait uniques. C'est un homme presque surhumain, tellement ouvert sur le monde et sur les autres. Si, c'est vrai. Dalaï-lama signifie Océan de Sagesse, et ça définit bien Tenzin Gyatso.

Une flèche m'atteignit en plein ventre. Entendre ce prénom m'était insupportable. Je baissai les yeux.

— Sans lui, poursuivit Bodnath, notre peuple aurait peut-être déjà disparu. Sans lui, nous tous ici, en exil *ad vitam æternam,* aurions depuis longtemps perdu espoir. Mais il n'empêche. La vérité, c'est qu'il n'y a pas d'espoir. Le bouddhisme est ennemi de l'illusion, alors, si on regarde les choses sans illusion, on se demande pourquoi le dalaï-lama ne dit pas la vérité à son peuple...

— Mais il leur dit la vérité. Le *Middle-Way,* c'est la vérité.

— Oui, peut-être. Mais, au fil des décennies, certains de ses sujets, principalement les jeunes, ne croient plus en leur chef spirituel, ils ne le suivent plus. Ils contestent sa politique, et aussi le bouddhisme d'État. Les jeunes ne veulent pas vivre dans une théocratie de pacotille en priant toute la journée et en mourant de faim. Beaucoup prônent le retour à nos traditions nomades et guerrières. Le dalaï-lama soutient, lui, que ce sont justement les exactions collectives que nous avons commises pendant ces temps guerriers qui nous valent de subir aujourd'hui ce terrible sort. Il dit que nous payons aujourd'hui notre karma collectif. Nous l'expions, en quelque sorte.

Aussitôt je pensai aux intouchables, qui eux aussi, selon les croyances hindouistes, expient leurs mauvaises actions des vies antérieures.

— La réincarnation, ça m'insupporte ! affirmai-je avec force.

Il haussa les épaules en secouant la tête dans un geste d'impuissance.

— Je le sais, dit-il tout bas d'une voix triste. Mais tu ne pourras jamais dire une chose pareille aux gens d'ici, ni aux Tibétains, ni aux Indiens. Nous vivons au Moyen Âge.

— Mais vous dites que les jeunes n'en veulent plus. Et votre revue ? Vous dites ça dans votre revue ?

— Évidemment. C'est justement son rôle, de laisser s'exprimer toutes les visions et de nourrir les différents points de vue. D'ailleurs, je ne pense pas que le gouvernement interdise *Shishapangma*, le journal constitue une soupape de sécurité. Il faut que les opposants s'expriment, sinon la communauté va imploser. Ils ne tolèrent pas d'opposition élue au sein du Parlement, mais en marge, oui. Ils sont obligés.

Je l'écoutais, pensive. Jamais, avant d'y vivre moi-même, de voir et entendre les choses par moi-même, je n'aurais imaginé tout cela des Tibétains. En Occident, nous avons une vision tellement angélique, tellement partielle et idyllique, que c'en est navrant. Il y a toujours un côté pile et un côté face à tout être et à toute chose.

Bodnath poursuivit :

— Il reste qu'un gouvernement sans opposants officiels, sans personne pour contester, ne peut survivre. Ce type de gouvernement produit sa propre dissidence. Le résultat, c'est que certains jeunes préféreraient disparaître plutôt que rester dans cette situation, sans aucune possibilité de choix d'avenir, ni ici ni en Inde.

— Pourquoi pas en Inde ? demanda Helle.

— En vertu de l'accord signé avec l'Inde qui interdit que les Tibétains s'intègrent en Inde, étudient ou y travaillent, car il ne faut pas nuire aux Indiens qui ont déjà assez de problèmes. C'est la condition que nous avons acceptée pour obtenir le droit d'asile en mars 1959. C'est un droit d'asile, pas un droit de travail ou d'intégration.

— Est-ce que c'est pour ça que les Indiens détestent les Tibétains ? demandai-je.

Il ne me répondit pas. Je repensais aux paroles de Tenzin lorsque nous visitions le

Norbulingka : devenir moine ou commerçant dans sa communauté, c'était sa seule et unique alternative. Autant dire aucun avenir. Je sentis une sueur froide perler dans mon dos parcouru de frissons. J'avais envie de pleurer.

— Les jeunes ont besoin de révolte, murmura Bodnath, parce que c'est ça la jeunesse, voilà tout. Alors ils viennent ici me voir, discuter, ils lisent la revue, ils crachent leur venin et leur frustration immense chez moi, et nous fumons et buvons et je leur donne un peu d'argent parfois.

Je me remémorai aussitôt tous les cadeaux que Tenzin m'avait offerts au cours des dernières semaines, et à ses habits neufs et son air heureux, pour une fois. D'où Bodnath tenait-il son argent ? Comment avait-il pu, lui, partir étudier en Angleterre ? Avec quel argent publiait-il sa revue ? Et où trouvait-il des cigarettes américaines ? Je sentais qu'il était sincère, et qu'il parlait vrai, sans ambages. Mais il cultivait un certain mystère qui m'encourageait à me tenir sur mes gardes.

— Est-ce vrai alors que vous exhortez les jeunes à la révolte ? lui demandai-je franchement.

— Oui ! Bien sûr que je les exhorte à réagir ! Et à se mettre en colère ! Vous devez comprendre ça, vous, Occidentales, parce que vous, justement, vous avez la chance de pouvoir tout dire, tout entreprendre, tout rêver, tout réaliser et même tout rater ! Votre avenir vous appartient, n'importe où sur la planète et de la façon que vous choisirez ! Mesurez-vous votre chance ? Vraiment ? Les jeunes d'ici ne peuvent réaliser aucun rêve. Je n'ai pas d'enfant et il n'est pas question que j'en aie. C'est vraiment criminel de mettre des enfants au monde ici.

— Oui, mais le TCV, tous ces orphelins, ce n'est pas de leur faute, murmurai-je.

— Bien entendu. D'ailleurs, le TCV, et tout ce qui y est fait, dans des conditions incroyables, est tout à fait extraordinaire, c'est une entreprise magnifique, grandiose et la sœur du dalaï-lama est une sainte en plus d'être une intellectuelle de haut vol. Je ne remets pas cela en question. Je dis simplement combien la situation des jeunes est injuste. C'est injuste, voilà tout ! Ils ne peuvent pas vivre au Tibet, et ici ils n'ont pas d'avenir. La jeunesse, c'est la créativité, et ici elle est anéantie dans l'œuf, pas par manque d'idées, de talent ou de perspective, et malgré l'immense richesse, la beauté de notre culture et l'élévation du bouddhisme. Par manque de moyens, voilà tout. Et la communauté internationale ne nous aide pas du tout. On devrait au moins pouvoir envoyer nos enfants à l'étranger, ce serait au moins ça de bien.

— Je le savais déjà, murmura Helle, j'ai senti ça depuis longtemps déjà. Les jeunes disent qu'il vaut mieux mourir que de vieillir ainsi.

Je me tournai vivement vers elle, des éclairs dans les yeux. Je ne voulais pas entendre ça. C'est exactement ce que je ne voulais pas entendre. Les larmes envahirent mes yeux.

— Ils sont morts ? murmurai-je

Bodnath baissa la nuque en levant les bras, avec un air abattu.

— Je ne sais pas, dit-il. Je ne sais pas.

Il était ému, visiblement dérouté. Après un lourd moment de silence, il se leva et chercha un bout de papier dans une commode.

— Ces derniers temps, Tenzin et Dagbo venaient presque tous les soirs, dit-il. La dernière fois, Tenzin m'a laissé un mot, très intelligent, sensible, et intense, comme lui en somme…

Il me regarda droit dans les yeux et je vis que ce qu'il allait lire m'était destiné.

Quand une souris est coincée par un chat, elle a le choix entre mettre ses pattes autour de la tête et se laisser dévorer, ou se jeter sur le chat et mourir héroïquement.

Il me tendit le papier écrit en tibétain. Je ne comprenais pas les lettres, mais je comprenais tout. Tenzin était parti à l'ombre du dalaï-lama. Le dalaï-lama est le soleil. À vivre dans sa proximité, on ne peut que grappiller des éclats de lumière, ou disparaître dans son ombre. Mais moi je voulais juste sauver mon amour.

21.

Le lendemain matin, 1er septembre, ma mère, comme elle l'avait annoncé, m'entraîna en consultation au Men-Tsee-Khang. Elle peinait à marcher et chaque pas lui arrachait une grimace de douleur. Quant à moi, j'étais livide. La conversation avec Bodnath m'avait terrassée. Je me sentais comme une souris devant un chat.

La conversation avec Bodnath, dont je ne pouvais parler qu'avec Helle, ne me laissait guère d'espoir. Helle et moi attendions l'annonce d'une catastrophe comme on attend qu'un orage éclate dans un ciel trop chargé. Le pire est que l'espoir ne voulait pas lâcher prise. Nous voulions malgré tout croire que « ça irait bien », que nos amoureux et leurs amis avaient fugué en réaction à leur vie trop contraignante et insensée, mais qu'ils allaient revenir et trouver une façon de poursuivre leur route. Nous espérions qu'ils ne renonceraient pas. La veille au soir, après avoir quitté Bodnath à Mac Leod Ganj, sous la pluie, nous avions parcouru le chemin des prières, tournant nous aussi, d'une main volontaire et vigoureuse, les moulins à prières, dont nous étions bien prêtes à croire qu'ils feraient, dans leur spirale, monter nos supplications vers le ciel, vers Bouddha ou vers n'importe quel dieu, quel que soit son nom ou sa fonction, et cette fois, nous étions d'accord pour croire que le ciel n'était pas qu'une masse d'air et de nuages, que le ciel contenait quelque chose, quelqu'un, qui entendrait notre lamentation et nous exaucerait.

Nous sommes bien peu de chose, nous petits humains, et malgré notre totale absence d'éducation et de foi religieuses, en raison de l'athéisme de nos parents respectifs, nous étions prêtes à nous convertir sur-le-champ à n'importe quel culte, à sacrifier au chamanisme bön ou à la méditation bouddhiste, si cela pouvait contribuer à ramener Tenzin et Dagbo sains et saufs. Après tout, tant de milliards d'humains depuis tant de dizaines de milliers d'années ont mis dans le ciel tant de dizaines de millions de dieux, puis un seul, unique et transcendant, qu'il s'en trouverait bien un, rien qu'un parmi eux, pour s'intéresser à notre cas. Un seul dieu nous suffirait, n'importe lequel, nous n'en espérions pas plus. Était-ce trop demander? Avec méthode et sérieux, en essayant de nous concentrer sur nos gestes, nous avons tourné, une fois, deux fois, trois fois, quatre, cinq, six et finalement sept fois, comme le faisaient les vieux Tibétains avec dévotion chaque soir, et nous étions même prêtes à aller faire des prosternations sur la terrasse du Namgyal, face aux neiges éternelles de l'Himalaya, tout comme ces vieilles femmes hors d'âge à qui cette posture physique demandait pourtant beaucoup d'efforts.

Finalement, nous avons décidé de renoncer aux prosternations pour rentrer vers le TCV. Tout au long du chemin à travers la forêt, j'ai quand même récité intérieurement le mantra d'invocation à Tara, la blanche déesse Tara dont Tenzin m'avait offert une statuette. *Om Tare Tu Tare Ture Chawa / Om Tare Tu Tare Ture Chawa / Om Tare Tu Tare Ture Chawa,* ai-je ainsi scandé en mon for intérieur, et cette litanie, contre toute attente, parvint à m'apaiser quelque peu. La répétition des sons canalise l'esprit et concentre les pensées, c'est pourquoi toutes les religions du monde possèdent leurs litanies et leurs chants. Ça fonctionnait sur moi, mais est-ce que ça influait d'une quelconque manière sur le sort de Tenzin ?

On dit toujours que l'intelligence distingue les humains des autres animaux. C'est faux, non ? Les scientifiques nous ont appris que tous les animaux possèdent leur propre forme d'intelligence, et leur propre forme de langage, même si elles sont différentes des nôtres. Ce qui différencie l'humain, c'est qu'il est un mammifère croyant. Il ne peut vivre sans croire. Croire à quelque chose, quelqu'un, une vision créée par son esprit, un espoir projeté comme un phare sur son chemin. En Occident, aujourd'hui, nous croyons en nous-mêmes, en notre individualité, notre volonté, notre capacité à forger notre vie à notre image selon nos moyens. Nous croyons en la science et ses progrès, malgré les méfaits induits en parallèle. Nous croyons qu'acheter, posséder, consommer, puis détruire et racheter, nous rendra heureux. L'argent nous a mille fois démontré qu'il faisait aussi notre malheur, mais nous n'y croyons pas moins. En Occident, nous nous croyons souvent tout-puissants. D'autres croient en la puissance d'un dieu auquel ils se remettent en imaginant qu'il guide leurs actions, les meilleures et les pires. Nous croyons au mouvement perpétuel qui fonde la vie, au désir, au printemps qui reviendra, forcément, après l'hiver. Nous croyons en l'amour. Et lorsque nous ne croyons plus en rien, que nous n'imaginons plus d'avenir meilleur, nous mourons. On sait que si on enferme un Bantou en prison, il s'y laisse mourir, car son esprit ne conçoit que le présent, et que ne s'imaginant pas sortir un jour de prison, il y meurt. Je pensais à tout cela dans l'obscurité de la forêt. Tenzin ne croyait-il plus à rien? Tout mon amour pour lui ne servait-il à rien? Je répétais mentalement mon mantra en espérant que Tara véhicule mes pensées et mon espoir vers l'esprit de mon amoureux. De toutes mes forces, j'ai voulu croire à Tara.

Et voici que ma mère et moi traversions la même forêt dans l'autre sens pour aller au Men-Tsee-Khang. Mais je ne croyais plus en rien. Je voulais savoir ce qui était arrivé à Tenzin et à ses amis. L'attente, le doute, la culpabilité de n'avoir pas suffi à le retenir m'étaient devenus insupportables. Et le fait de quitter Dharamsala et le TCV le lendemain m'angoissait au plus haut point. Ma mère voyait bien que j'allais mal. Elle savait pourquoi mais préférait mettre mon abattement sur le compte de l'aggravation de l'état de mes mollets qui avaient enflé sous l'effet de l'infection bactérienne. Quant aux pustules sur ses pieds, elles avaient éclaté et il s'en écoulait un pus aussi nauséabond qu'inquiétant.

Nous parvînmes épuisées au Men-Tsee-Khang, institut astromédical dirigé par le médecin personnel du dalaï-lama. La file d'attente étant longue, ma mère me proposa d'aller manger un *pancake* aux bananes dans notre restaurant habituel. Je n'avais pas faim et, tout en mastiquant mécaniquement, je repensai à ma rencontre avec Tenzin, dans ce même restaurant, autour d'un *pancake* identique. À notre retour, la file n'avait pas diminué. Un groupe d'Américains s'impatientait en parlant fort. Pour eux comme pour tant d'Occidentaux, venir à Dharamsala essayer la médecine tibétaine constitue une expérience tellement *hype and trendy*. Les agences de voyage spécialisées dans le « voyage énergétique » se sont multipliées, proposant la médecine traditionnelle tibétaine en complément à la médecine allopathique occidentale. Dans le cas de maladies graves ou chroniques, cette double approche se révèle d'ailleurs efficace, aussi les consultations au Men-Tsee-Khang, normalement réservées à la communauté tibétaine en exil, ne désemplissaient-elles pas et se payaient-elles assez cher. La communauté tibétaine sait, avec pragmatisme et raison, monnayer l'engouement qu'elle suscite chez les Occidentaux. Tout le monde y gagne.

Mes parents vivaient depuis deux mois au Ü-pel House voisin du Men-Tsee-Khang. Ils enseignaient au TCV, leurs salaires de coopérants étant assurés par le Canada. Ma mère prenait des cours avec Mme Choezom, l'astrologue du dalaï-lama qui faisait partie de l'institut d'astromédecine, et à ce titre, avait pris rendez-vous pour nous avec une de ses collègues.

Celle-ci finit par nous faire entrer dans son cabinet où elle prit aussitôt, non pas notre pouls, mais nos HUIT pouls, qui sont une des bases de la médecine chinoise et tibétaine. Sans même avoir vu nos plaies, elle dit bientôt en anglais « *severe blood disease* », grave infection sanguine. Diagnostic inquiétant dont elle découvrit les manifestations en soulevant nos bandages. En examinant les pieds de ma mère, elle ne cacha pas son inquiétude.

— L'infection est trop avancée, dit-elle, il vaudrait mieux aller à l'hôpital.

— Il y a un hôpital ici ? s'étonna ma mère.

— Mais bien sûr, Madame, comment ferions-nous pour les chirurgies ? L'hôpital se trouve juste là, au tournant de la route. La médecine tibétaine régule le fonctionnement de l'organisme, mais dans votre cas c'est trop tard, il vous faut des antibiotiques.

— Nous n'aurons pas le temps, répondit ma mère contre toute logique. Nous partons demain à l'aube pour Manali, où nous prendrons le train pour Bénarès.

— Bénarès ! s'exclama la doctoresse. Mais c'est à trois jours de train, savez-vous ? C'est très imprudent, je dois vous le dire. Prenez vos médicaments et partez dans une semaine. Pour votre fille ça devrait aller, je vais lui donner des pilules de plantes tibétaines. Mais votre état est sérieux. Pourquoi n'êtes-vous pas venue plus tôt ?

L'attitude de ma mère était en effet irrationnelle.

— Nous partirons demain, décréta-t-elle avec obstination. Je sais ce que je fais.

Ni moi, ni surtout la doctoresse, n'en étions convaincues. Après l'avoir observée en silence, celle-ci fit une ordonnance et y écrivit une formule en tibétain.

— Je vous prescris des pilules de plantes antibiotiques et astringentes très puissantes, dit-elle, ainsi qu'une concoction pour nettoyer le sang. Vous, Madame, vous prendrez la grosse pilule toutes les deux heures ainsi que l'équivalent de quatre dés à coudre de la poudre noire. Et n'oubliez pas, toutes les deux heures, même la nuit.

Elle se tourna ensuite vers moi :

— Quant à toi, je te donne la même chose mais en moins fort, une pilule et deux doses de poudre aux six heures. Ça aidera mais... Je vous le répète. Je serais vous j'irais à l'hôpital, tout de suite. Et ne mangez rien de trop énergétique, surtout pas d'œufs. D'ailleurs, les œufs c'est trop nourrissant, on ne devrait en manger qu'en hiver. Et bien sûr, pas de laitage ni aucune forme de sucre, rapide ou lent.

Nous avions avalé des *pancakes* accompagnés d'un grand verre de lait. C'était parfait ! Du vrai poison pour un métabolisme détraqué. Je me sentis instantanément mal.

Depuis le balcon de la chambre de mes parents au Ü-pel House, on voyait les plantes médicinales, disposées sur de grandes bâches bleues, sécher sur le toit du Men-Tsee-Khang en contrebas. Nous allions voir à quoi elles servaient. Au comptoir de délivrance, un pharmacien sortit des poudres de plantes de grands pots puis se mit à les malaxer et les rouler pour en fabriquer les boules de substance vert caca d'oie, de grosses boules de la taille des boules de gomme que l'on achète dans des tourniquets. Il nous en donna immédiatement, une pour moi, trois pour ma mère, nous enjoignant de les mâcher sur-le-champ. Les mots me manquent pour décrire le goût de ce médicament. C'était immonde. Je n'en avais pas avalé le quart que je me suis précipitée dehors pour vomir, vider mon estomac au complet : médicament, *pancake,* sucres lents et rapides, lait, banane, le tout englué dans la bile. Je me sentis tout de suite mieux.

— C'est un bon départ, commenta le pharmacien quand je revins vers lui. Maintenant, reprends une pilule, ne respire pas pendant que tu mâches et avale avec un peu d'eau chaude.

J'étais découragée. Dire qu'il allait falloir ingurgiter ce truc pendant plusieurs jours ! Ma mère avala ses trois pilules en se bouchant le nez, affirmant que « ça irait » et que, de toute façon, elle était « très résistante ». Elle n'en clopinait pas moins en sortant de la pharmacie et eut du mal à monter les marches qui

197

menaient au bureau de Mme Choezom, qu'elle devait prévenir de notre départ.

— Écoute, Emma… s'adressa-t-elle à moi dans la salle d'attente.

Quand ma mère commençait une phrase par « Écoute, Emma », c'est qu'elle allait me dire quelque chose de grave. J'arrêtai de respirer pour encaisser la suite.

— … nous voulions te le dire plus tard, mais, vu les circonstances… Ton père et moi allons nous séparer. Chaque jour passé près de lui ici me rend un peu plus malade. J'ai besoin de bouger, et toi aussi. Nous allons prendre ces médicaments, et ça ira mieux. À Bénarès, nous aviserons.

C'était donc ça. Je m'en doutais. Mes parents se disputaient tout le temps et je savais que ma mère dormait de plus en plus souvent chez les parents de Helle. J'avais essayé de l'oublier, de croire en tout cas que cela s'arrangerait, comme d'habitude, mais je savais. L'entendre me le dire carrément me porta un coup supplémentaire. Ma mère se pencha pour m'entourer de ses bras, mais je la repoussai violemment.

J'entrai dans le bureau de l'astrologue comme une somnambule. Lorsque Mme Choezom apprit que nous voyagerions en autobus jusqu'à Manali puis en train jusqu'à Bénarès, elle ouvrit tout rond ses grands yeux noirs :

— *No no, musn't do that!* s'écria-t-elle. *No, Sylviane, too dangerous!*

Je vis à l'expression de ma mère que ces paroles la troublaient plus qu'elle ne l'aurait voulu. Ma mère, en bonne athée rationnelle, de surcroît, professeur de mathématiques, ne croyait pas en l'astrologie, ni aux esprits, ni aux dieux, ni aux démons, ni à un quelconque destin que l'on ne choisirait pas. Du moins l'affirmait-elle. Mon père non plus n'y croyait pas. Et moi pas plus qu'eux. Oui mais. Ça, c'était avant que nous venions vivre parmi les Tibétains et les Indiens, dans leur monde ésotérique peuplé de symboles et de signes, de leur croyance aveugle dans la réincarnation, et du foutu karma qui me dressait les cheveux sur la tête. Selon les Tibétains et les Indiens, tout est écrit. Mais par qui ? Nous, nous pensons volontiers que nous écrivons nous-mêmes chaque jour une page de notre vie. Mais… et si c'étaient eux qui avaient raison ? Et si c'étaient nous qui ne comprenions rien à rien ? Deux mois avaient suffi pour nous faire douter de nos repères. Malgré ses affirmations, ma mère se passionnait pour ses cours d'astrologie, même si elle disait ne rien y comprendre. Mon père s'était retrouvé dans une cérémonie avec le devin en transe et, depuis, répétait que « ce ne pouvait être un pur hasard, qu'il devait bien y avoir une raison pour qu'il ait été accepté dans une cérémonie aussi secrète ». Et moi, je répétais des mantras, invoquais Tara et tournais des moulins à prières. De plus, au moment où je perdais mon premier amour, mes parents, qui étaient le premier amour l'un de l'autre, se séparaient. Tous ces événements semblaient reliés par un fil dont la logique cachée nous échappait. Les conditions étaient réunies pour que, malgré nous, mes parents et moi soyons sensibles à toutes sortes de croyances.

Mme Choezom, elle, convaincue que tous ces événements étaient liés entre eux, cherchait à nous en convaincre :

— Trente autobus sont tombés dans les ravins au cours du seul mois dernier, dit-elle à ma mère. Très mauvaise période pour vous. Ce sont les mêmes configurations astrales que lors de la mort de Lady Di.

Ma mère ne put s'empêcher de sourire. Mme Choezom avait sorti la grosse artillerie.

— *I told you already, it is the year of your funeral*[2].

Ces paroles emportèrent le reste de sang-froid de ma mère.

— Pema, *would you please stop that!* Non, je ne vais pas mourir, ni ma fille, ni mon mari ! C'est pas parce qu'on va divorcer qu'on va mourir, et c'est pas parce que j'ai une infection aux jambes que je vais faire une gangrène ! Non ! Je vais me soigner, ma fille aussi. Et de toute façon, nous allons revenir ici

2. Je vous l'ai déjà dit, c'est l'année de vos obsèques.

d'ici deux semaines. Qu'est-ce que c'est que deux semaines dans une vie ?

Deux semaines, c'est bien plus de temps qu'il n'en faut pour mourir. Je n'ai pas pu empêcher cette pensée de se former dans ma tête. La mort rôdait autour de nous, partout, depuis le tout premier jour de notre arrivée en Inde. Toute cette nuit, toute cette violence, cette misère et ce fanatisme consubstantiellement imbriqués, la mort de l'amour et maintenant la maladie. Nous pouvions refuser d'y croire et refuser l'évidence, mais il n'en demeurait pas moins qu'autour de nous, tout n'était qu'obsèques.

— Les Indiens disent que c'est l'année de Kâlî, ajouta Mme Choezom avec tristesse. Je vous aurai prévenues.

Kâlî. Noire déesse de la nuit, de l'obscur et de la destruction. Redoutable et impitoyable Kâlî, jumelle antithétique de la blanche Tara. *« No destruction no creation »*, répétait Mme Choezom. Oui. Pas de lumière sans ombre, pas de lune sans soleil, pas de vie sans mort. Notre tradition chrétienne a la Vierge et la Vierge noire et, bien avant elle, avant que les Romains ne transforment Vénus en poupée Barbie, dans ses origines mésopotamiennes, elle était bien Astarté-Ishtar, déesse de l'amour *ET* du carnage. C'est un tout, inséparable.

L'astrologue savait que Sylviane ne reculerait pas. L'ayant compris, elle fouilla dans son tiroir et lui remit une petite statue de

Manjushri, le dieu protecteur du ciel, patron de l'astrologie, qui de son autel avait présidé à leurs entretiens quotidiens au temple.

— *Manjushri will protect your mind and body*, dit-elle en s'inclinant, paumes jointes sur la poitrine.

Elle prit ensuite deux écharpes de satin blanc et les posa autour de notre cou. Son beau visage aux traits réguliers demeurait néanmoins fermé, et son regard avait perdu son habituel éclat. Sur le pas de la porte, elle posa soudain les paumes sur le haut de ma tête et demeura un moment ainsi, les yeux fermés. Je n'osais pas bouger. Je sentis un courant de chaleur inonder mon corps et se répandre jusqu'à la pointe de mes orteils.

22.

Ce fut beaucoup plus difficile encore de dire au revoir à tous mes amis du TCV, à *amala* qui pleurait, à *pala* qui hochait la tête, à mes camarades de classe qui secouaient la tête pour exprimer leur désapprobation. Et surtout à Helle et à ses parents qui nous invitèrent à prendre un goûter chez eux pour tenter d'accompagner notre départ d'un peu de joie et de décontraction :

— Mais on reviendra bientôt, répétait Gilles, mon père, tandis que Svend et Rikke nous serraient dans leurs bras.

— Écris-moi tous les jours, me souffla Helle, en essayant de se montrer forte, mais c'est moi qui sanglotais.

À cet instant, j'ai haï mes parents. Ils avaient perdu la boule et ils me perdaient avec eux. J'avais déjà assez de peine, ils auraient dû m'éviter tant d'arrachements inutiles. Je me foutais complètement de Bénarès, du Taj Mahal ou des palais de Jaipur. Et quelle stupide idée que d'aller s'entasser dans des trains bondés et dangereux, pour aller s'entasser encore plus avec des milliers de touristes en rangs d'oignons. Et tout ça par égoïsme, juste parce qu'eux ne se supportaient plus. Et moi alors ? Ils ne m'avaient pas demandé si je voulais aller en Inde, ni dans aucun des pays où ils m'avaient traînée depuis ma naissance. Ils ne me demandaient guère plus si je souhaitais quitter le TCV. Je me sentais désormais chez moi au TCV. Tout le monde avait tout fait pour cela et mes parents détruisaient tout cela. Pourquoi fallait-il toujours partir, abandonner les autres, redevenir sans cesse des étrangers anonymes ?

Le voyage vers Bénarès confirma toutes mes appréhensions autant que les mauvais augures de Mme Choezom. L'autobus faillit verser cent fois dans le ravin parce que, comme à son habitude, le chauffeur roula à plus de cent kilomètres à l'heure sur des pentes raides et non asphaltées jusqu'à la gare de Manali. Mon père égrenait son *mala* en remuant les lèvres et je compris qu'il récitait, lui aussi, un mantra, sans doute le *Om padme um* qu'il avait appris auprès des moines du Namgyal. L'autobus virait sur une roue, retrouvant son équilibre au dernier instant, par miracle. Le visage de ma mère vira au jaune. Elle finit par vomir par la fenêtre ouverte. Parvenus à Manali, étourdis par cette descente infernale, nous dûmes nous battre contre la foule pour trouver notre train, puis notre wagon puis nos couchettes. Ça s'annonçait pénible, car sale et bruyant, avant même que le train ne démarre.

Il est vrai que les wagons de seconde classe, avec trois couchettes imparfaitement recouvertes de housses en similicuir truffées d'acariens, étaient bondés puisqu'on était huit ou neuf dans un compartiment normalement prévu pour six et que, les épices et la chaleur aidant, toutes sortes d'odeurs humaines, animales et végétales chargeaient l'atmosphère sans que le secours du pauvre ventilateur accroché au plafond parvînt à faire la différence. Vrai aussi que le train s'arrêtait au milieu de nulle part, parfois au milieu d'une forêt dense, sur un pont branlant, sous un soleil de plomb ou une pluie diluvienne qui finissait par déverser ses flots dans notre compartiment qui n'était pas muni de fenêtres mais de simples grillages. Vrai, tout cela, mais c'est l'Inde, je devenais philosophe moi aussi, petit à petit, relativisant les différents degrés de gravité des situations. Sans que je m'en rende compte, le mode de vie occidental avait cessé d'être ma référence unique et absolue.

Les longs voyages ferroviaires ont pour effet particulier de diluer les émotions, heureuses ou malheureuses, de les effilocher jusqu'à ce que l'on n'en retienne que l'essentiel, la substantifique expression. Comme si, au long du cahot répétitif du train, le chaos de l'âme se dissolvait. Le paysage extérieur défile et à mesure remplace le panorama intérieur. Ce type de voyage, où l'on reste silencieux plusieurs jours durant, coincés entre des inconnus, constitue une longue méditation en mouvement. Une consolation. Mon angoisse et ma peine me revenaient néanmoins par flots. Le visage de Tenzin, sans crier gare, dansait devant mes yeux, comme imprimé dans le verre bleu de mes lunettes de soleil. Je devais admettre, cependant, que mes parents avaient eu raison sur un point : ma douleur se dissolvait un peu dans la campagne indienne et les temples millénaires que nous voyions défiler de loin en loin.

De gare en gare, je finis par ne penser qu'aux beaux moments de notre relation, son sourire radieux, sa tendresse, sa gentillesse, et puis surtout, au plaisir charnel qu'il m'avait révélé, et dont le souvenir brûlait encore chaque parcelle de mon corps. J'avais encore le goût de ses baisers dans ma bouche, le parfum de sa peau lorsqu'il enfouissait son visage dans mon cou en caressant mon corps avant de s'y frayer un chemin. Je tressaillais sous les souvenirs cuisants de nos ébats, dans la nuit himalayenne, ou dans notre ultime cachette du lac Dahl, dans l'ancien nid d'aigle. Il n'était pas possible que cela ne se reproduise plus jamais. C'était trop douloureux, rien que d'y penser. J'avais emporté avec moi les cadeaux qu'il m'avait faits. Le soir, je les serrais contre moi et m'endormais avec pour ultime pensée consciente que j'allais bientôt rentrer au TCV et l'y retrouverais. Notre histoire d'amour reprendrait son cours.

Il avait été prévu de nous arrêter à Agra pour visiter le Taj Mahal, mais ce ne fut pas possible. L'état de ma mère empirait à vue d'œil. Sur moi, les médicaments tibétains avaient vite agi. Les abcès s'étaient résorbés et des croûtes de guérison les avaient remplacés. Mais l'infection dont souffrait Sylviane avait grandement progressé, et la saleté innommable du train ne fit qu'aggraver les choses. Ses pieds avaient tellement enflé qu'elle ne pouvait plus les poser à terre. Mon père devait la porter aux toilettes, ou du moins, ce qui en tenait, un trou à même le plancher en bois du train, maculé d'excréments parmi lesquels grouillaient des insectes longs comme mon index. Au prix de gémissements aigus, elle s'astreignait à changer ses bandages deux fois par jour, versant de l'alcool à quatre-vingt-dix degrés à même les plaies. Nos voisins indiens se tenaient aussi loin d'elle que l'exiguïté du wagon bondé le permettait. Sylviane ressemblait en effet aux lépreux aux membres bandés que l'on croise partout en Inde, d'autant que ces pansements invalidaient le port de véritables chaussures. «Vas-y maintenant, tu peux les porter tes satanées tatanes!» lui avait dit mon père, avec une cruauté que je ne lui connaissais pas.

Le train prit du retard. Quatre jours, presque cinq, furent nécessaires pour atteindre la gare de Bénarès, Varanasi pour les Indiens, en pleine nuit.

Nuit indienne, nuit de Kâlî. La nuit, encore, pour nous accueillir et nous envelopper et, bientôt, pour nous emprisonner dans ses filets.

23.

Le chauffeur du taxi pris à la gare de Bénarès voulut nous larguer au bas des marches d'une ruelle plongée dans l'obscurité totale, qui était censée conduire à notre hôtel. Autant dire qu'il nous envoyait, délibérément ou non, dans un coupe-gorge. J'ai vu Gilles, mon père, prêt à tuer pour défendre les siens. À hurler de toutes ses forces, il parvint à ameuter quelques passants qui, sous l'œil indifférent des vaches sacrées – plus grosses que n'importe qui en ville, qui s'étaient postées devant le capot et ne semblaient plus vouloir bouger –, se mirent à invectiver le chauffeur en hindi. Au terme d'une longue tractation menée dans un mélange d'anglais, d'hindi et de moult gesticulations, le chauffeur accepta de nous conduire jusqu'à un autre hôtel, accessible celui-là sans avoir à traverser de dangereux dédales de ruelles non éclairées.

L'Inde semblait trop souvent obéir aux lois de la jungle bengali. Puisque tout autour de nous était violence, mon père était devenu violent lui aussi. «La non-violence est un idéal, m'avait-il pourtant expliqué un soir au TCV. C'est important d'éduquer les jeunes à cet idéal. Mais ça demeure un idéal à atteindre. »

Eh bien, il me semblait bien, à moi, qu'au fil des événements qui se succédaient, et des émotions qu'ils provoquaient, il s'éloignait de cet idéal à grands pas. Je ne pouvais pas lui jeter la première pierre. Je n'avais jamais vu de société plus violente que la société indienne. Quant aux Tibétains, ils ont subi, et subissent encore des violences et des traumatismes tels, qu'ils le sont eux aussi, forcément, en particulier les jeunes. Au TCV, il ne se passait pas une journée sans que des ados se battent à poings fermés avec une rage infuse, se poussent dans les escaliers, insultent *amala* et *pala* et aussi leurs professeurs, lesquels en venaient à les frapper à leur tour. D'autres jeunes, désespérés, recouraient à la drogue et l'alcool et se retrouvaient, s'ils se faisaient prendre, en isolement pendant plusieurs jours.

Ça peut sembler paradoxal lorsque l'on sait que le Men-Tsee-Khang a élaboré un des programmes les plus efficaces contre les dépendances, attirant des patients des quatre coins du monde. Ce n'est cependant pas contradictoire. Les spécialistes tibétains en exil enseignent la non-violence, le détachement, l'impermanence et l'indépendance avec pertinence et succès précisément parce qu'ils les connaissent bien. La non-violence et le détachement ne sont pas innés. S'ils l'étaient, il ne serait pas nécessaire de les enseigner, de les étudier, des décennies durant. Il faut du temps et de l'insistance pour changer un individu et, *a fortiori,* l'ensemble d'une société.

Dans toutes les sociétés, l'adolescence est l'âge auquel on doit muer, mourir à l'enfance et son cortège de comportements inappropriés pour la bonne marche de la vie adulte. C'est sans considérer que nombre d'adultes demeurent des adolescents, voire des enfants, parfois même après que leurs cheveux sont devenus gris. À l'adolescence, la colère gronde, et c'est normal qu'il en soit ainsi. Mais si on peut vivre avec de la peine, il est impossible de vivre longtemps avec de la colère, sans quoi elle mute en rage, qui elle-même, si elle ne trouve d'exutoire extérieur, vire à la destruction ou en sa jumelle, l'autodestruction. Les jeunes Tibétains ont en eux tellement de rage légitime. Sans éducation à la non-violence et au détachement, ce serait pire encore. Des ratés, des accidents surviennent forcément. Tenzin, Dagbo et leurs amis, étaient-ils des accidents? J'ai bien peur que cette question, que je me pose encore aujourd'hui, reste sans réponse.

Le lendemain de notre arrivée à Bénarès, le premier souci de Gilles, mon père, fut de courir chercher un médecin, «un vrai» comme il aimait à le dire, pour qu'il vienne visiter ma mère. Sur les conseils de l'hôtelier, il alla chercher un diplômé de l'université anglaise de Cambridge, qui avait un cabinet privé en plus de travailler à l'hôpital général de Bénarès. Le docteur Sanjaj était un homme jeune, charmant, consciencieux, qui s'alarma dès qu'il vit l'état des pieds de Sylviane. Il tâta ses cuisses pour constater que des ganglions, signes de lutte du corps contre l'infection, formaient des grappes sous l'aine. Ma mère était en proie à une forte fièvre et ne pouvait plus marcher. Les pustules avaient creusé la chair de ses chevilles. Un pus jaunâtre s'écoulait de cratères d'un bon centimètre de profondeur.

— Et pas d'ayurvéda[3], commanda Gilles d'une voix forte au médecin. On a déjà eu notre compte de médecine astrale !

— N'exagère pas, Gilles, intervint ma mère, la médecine tibétaine a quand même guéri Emma que je sache ! Et puis la doctoresse m'avait prévenue, elle voulait que j'aille à l'hôpital à Dharamsala.

Mon père n'en croyait pas ses oreilles.

— Quoi ? Et c'est maintenant que tu le dis ? T'es vraiment une sale conne. Je devrais te laisser crever !

_____

3. Médecine traditionnelle indienne.

Est-ce que mon père venait vraiment de dire ça ? Mon ventre se serra et mon cœur se mit à battre contre ma glotte.

— Ne vous inquiétez pas, se dépêcha de dire le docteur Sanjaj, je n'ai pas l'habitude de tuer mes patients ! Votre fille était sans doute moins infectée, voilà pourquoi ça a bien fonctionné, mais vous, Madame, il vous faut de la pénicilline, et à haute dose ! Cinq cents milligrammes trois fois par jour, avec une dose équivalente de vitamine C pour stimuler vos défenses immunitaires. Et il va falloir vous rendre tout de suite dans une clinique pour faire des examens sanguins, et aussi des pansements adaptés. Il faudra faire changer les pansements tous les jours, c'est impératif. Je vous attendrai à mon cabinet dans deux jours, nous ferons le point.

— Tout ça pour quelques piqûres de…

Elle n'avait pas fini sa phrase que mon père lui hurla à nouveau dessus :

— Non ! Non, non ! Pas à cause des moustiques ! À cause de ton incurable imprévoyance.

Le jeune médecin les regarda tour à tour, voyant bien que leur état psychique n'était pas optimal.

— Oh, vous savez, ça arrive tout le temps, dit-il à mon père, en cherchant à dédramatiser la situation. Les touristes se font avoir parce qu'ils n'ont pas l'habitude. Ils pensent qu'il suffit de faire trois vaccins et de prendre sa

213

quinine tous les jours, et que cela suffira à les protéger de tout. Mais l'Inde, c'est compliqué, il peut arriver des tas de choses. Et ça, ce n'est rien. Les antibiotiques vont tout nettoyer vite fait.

Sylviane jeta un regard noir à Gilles, mais ne renchérit pas.

— Et moi qui voulais aller voir les crémations sur le Gange, dit-elle au médecin qui, pour la première fois, s'énerva.

— *Well, Madam, don't you go near Ganga, all right*[4] ? Parce que là, je ne réponds pas de vous ! Le Gange est en pleine crue en plus, à cause de la mousson. Ça pullule de bactéries mortelles.

— Mais les enfants s'y baignent, pourtant, lui dis-je.

— Oui, bien sûr. Des enfants d'ici ! Ils sont immunisés. Et puis, pour nous, Ganga est notre déesse-mère, et comme nous croyons en elle, elle ne nous fait aucun mal. Mais vous, non, il n'en est pas question. Si vous avez la moindre entaille dans la peau, même microscopique, les microbes vont s'y précipiter. Il faut être résistant pour vivre en Inde, vous savez ?

— Ah ça ! s'écria mon père en levant les yeux au ciel, à qui le dites-vous !

---

4. Écoutez, Madame, ne vous approchez pas du Gange, d'accord ?

Il tourna son regard vers moi et me sourit. À cet instant il pensait certainement, comme moi, à Tenzin. En plus, on lui avait volé son portefeuille, quelque part entre le train et l'hôtel, allez savoir. Il s'était résolu, en catastrophe, à vendre un de ses appareils photo, son Olympus préféré, pour une somme misérable en roupies, pour assurer notre survie en attendant qu'American Express envoie des chèques de voyage.

— Mais savez-vous quoi? Je vais quand même vous prescrire de l'ayurvéda en complément», conclut le docteur Sanjaj en souriant de ses magnifiques dents blanches et régulières, qu'il nettoyait sans doute, lui aussi, comme la plupart des Indiens, avec des feuilles d'arbres mâchées après les avoir brossées avec du bicarbonate de soude et du dentifrice. Blanchiment garanti, et sans laser. «Je vais vous faire préparer et apporter une poudre de racines laxatives, c'est magique sur la fièvre», poursuivit-il.

— Je ne vois pas le rapport, intervint mon père qui se méfiait décidément de tout.

Le jeune médecin éclata de rire.

— Vous allez comprendre: infection = fièvre = feu = entrailles. Le système intestinal est le foyer où brûle le feu du corps, feu attisé par les antibiotiques. Avec un laxatif on vide mieux les intestins, on ramone la cheminée en quelque sorte, alors le feu s'évacue mieux et la fièvre descend. Vous comprenez?

— Mouais… fit mon père avec une moue.

— Vous savez, les médecins occidentaux prescrivent la même chose, même s'ils ne vous le disent pas. D'ailleurs, je suis un médecin occidental. L'ayurvéda, c'est bon, je l'utilise parfois, mais juste en complément. Je vous prescris aussi de l'acétaminophène, de toute façon. Dès qu'il s'agit d'infections, ou de maladies graves, ou de chirurgie, il n'y a que la médecine allopathique.

— C'est aussi ce que nous a dit la doctoresse tibétaine, dit ma mère.

— Évidemment ! Ce sont les médecins du dalaï-lama, voyons, ça ne rigole pas. Et d'ailleurs, le dalaï-lama, il n'est jamais malade.

— Mais lui ne se baigne pas dans le Gange ! plaisanta mon père.

— Siddharta, lui, s'y baignait, et il est devenu Bouddha ! rétorqua le médecin.

Ça y était. Ils étaient partis pour parler religion, tous les trois, ensemble ! Miracle. J'aimais bien ce médecin.

— Êtes-vous brahmane ? lui demandai-je timidement.

Le docteur Sanjaj haussa les épaules.

— Je suis médecin, c'est ça ma caste. Mais, si tu veux que je te réponde, je suis né dans une famille de riches commerçants de la caste des Vaiçya, la même que le Mahatma Gandhi. Et alors, qu'est-ce que ça fait ? Ça veut dire que ma famille a eu assez d'argent pour m'envoyer étudier en Angleterre, tout comme la famille de Gandhi avait payé ses études de droit à Londres. Si j'avais été un intouchable, ça ne me serait jamais arrivé, c'est certain. Je ne crois pas à l'impureté des intouchables, pas plus qu'à la sainteté des brahmanes, je me dispute avec ma famille à cause de ça. Et puis regardez, poursuivit-il en se tournant vers mes parents, j'ai quatre filles. Si j'écoutais la tradition hindoue, je dirais que ma femme est inapte à procréer un héritier mâle et je devrais la répudier… ou lui jeter de l'acide au visage pour la défigurer, comme ça arrive tout le temps ici. Je devrais aussi jeter de l'acide citrique sur mes filles, tiens, pendant que j'y suis… On peut acheter de l'acide citrique au marché, en toute impunité, c'est monstrueux. Chaque pays a ses excès. Et ça n'empêche pas que j'aime mon pays et que pour rien au monde je n'irais vivre ailleurs.

— Vous n'avez pas aimé Londres ?

— Si, j'ai adoré Londres ! Mais ce n'est pas chez moi.

Oui, j'aimais bien ce médecin. Le traitement prescrit à Sylviane s'avéra rapidement efficace. Après être allée en taxi jusqu'à la clinique pour les prélèvements sanguins et les pansements, et après avoir pris tous ses médicaments, y compris la poudre ayurvédique, Sylviane sentit la fièvre et la douleur relâcher un peu leur étau, pour la première fois depuis plusieurs semaines. Elle s'endormit paisiblement.

Gilles et moi pouvions aller nous promener l'esprit tranquillisé. J'étais contente d'être seule avec mon père. Je m'étais toujours mieux entendue avec lui qu'avec ma mère. Plus j'avançais dans l'adolescence et moins j'avais de choses à dire à ma mère. Le constater me peinait beaucoup.

24.

Mon père et moi avons marché, jusque tard dans la nuit, dans Bénarès, Varanasi en hindi. Varanasi, la ville de Kâlî. Depuis deux mois, Kâlî nous avait poursuivis d'une ville à l'autre, se rappelant à notre mémoire d'un événement au suivant. Cette fois c'était nous qui étions venus à sa rencontre, chez elle, sur son territoire. Qu'allait-il surgir de ce rendez-vous ?

Bénarès est une ville complexe, où mourir, et être incinéré sur les berges du Gange, est, pour les hindous, signe de purification des péchés et promesse de délivrance par la pratique de la *samdhya*[5]. Agitée par une fièvre inextinguible, traversée par une énergie singulière, sans doute transmise par la promiscuité de ces cadavres que l'on rencontre à chaque coin de rue emmaillotés dans des tissus colorés que des hommes portent vers les rives sur des paillasses de bois, en scandant des chants, et

_____

5. Rituel hindou en quinze étapes, qui commence quarante-huit minutes avant le lever du soleil, et doit se terminer au moment même du lever du soleil.

qui brûlent, là, par dizaines, sans discontinuer, dans des feux qui s'élèvent dans la nuit comme des phares pour les vivants. Des cadavres qui se consument dans d'âcres fumées enivrantes au milieu des incantations. La ville tout entière crépite tel un brasier ardent, une marmite où la vie et la mort bouillent, mélangées, sans répit, sans plus de distinction de classe ou de caste. Nous sommes tous égaux dans la mort. Tel est le message, terrible ou rassurant, de l'intransigeante Kâlî. Pas de sérénité à Bénarès-Varanasi, jamais, nulle part, mais, en revanche, une intensité, en permanence, dans l'air, partout. On en est complètement étourdi, happé par le rythme, les odeurs, les stridences. Il semble que Kâlî a choisi ce lieu pour, de là, livrer ses secrets aux humains. Nul ne peut vivre sans penser à la mort, à sa mort. Plus celle-ci est omniprésente à nos côtés, plus on se sent vivant. Mieux l'on sait combien est précieuse la vie.

Mon père, en cachette, prenait des clichés des crémations sur les rives. À ses côtés, je me sentais enivrée par les fumées âcres et par le brouhaha assourdissant des ruelles baignées d'ombre. Nous étions assis devant le fleuve dont les eaux en crue demeuraient invisibles à l'œil, cachées par les fumées des bûchers. Derrière nous se déployait un amas de ruelles enchevêtrées comme une toile d'araignée puis de larges artères bondées de véhicules de toutes sortes qui se frayaient un passage à coup de klaxons au milieu des musiques qui s'élevaient des postes de radio aussi nombreux que les véhicules. Nous avions commencé ce voyage dans un cimetière devant des cadavres en feu, et voici que nous y étions à nouveau. L'Inde n'était-elle qu'un grand feu ? Une fournaise ? Le calme de notre village tibétain perché au-dessus des nuages de l'Himalaya me paraissait appartenir à une autre galaxie. Ma vie au TCV me semblait déjà très lointaine.

C'était la deuxième fois que je me promenais ainsi avec mon père. Je ne pouvais m'empêcher de me rappeler que la première fois, c'était en compagnie de Helle, Dagbo et… Tenzin. D'un coup, le visage fin et le sourire si lumineux de mon amoureux se matérialisèrent devant mes yeux et je fondis instantanément en larmes. Toute cette tension alentour était insupportable et avait fini par effriter toutes mes résistances. J'étais tellement angoissée que je pensais que mes tripes, à force de se tordre, allaient exploser. Mon père rangea son appareil photo que de toute façon il n'avait pas le droit d'utiliser. Il s'assit à mes côtés sur le *ghât*[6], enveloppa mes épaules de ses bras et me serra contre lui, comme quand j'étais petite et que j'étais sa petite princesse. Sa tendresse emporta mes dernières résistances

---

6. Débarcadère fait de marches.

et mes sanglots se précipitèrent en un torrent impossible à arrêter. Mon père me tenait fort contre lui et caressait doucement le dessus de mon crâne tandis que je hoquetais contre sa poitrine. Peu à peu ma douleur s'écoulait et relâchait l'étau dans lequel elle avait emprisonné mon cœur depuis que Tenzin avait disparu. Je me calmai, mais mon père me tenait toujours contre lui, sans parler, attendant que je sorte seule de son étreinte. Il était disponible pour moi. Je le sentais.

— J'ai peur, papa, j'ai tellement peur… finis-je par articuler sans le regarder.

— Je sais, murmura-t-il, moi aussi j'ai peur. C'est normal d'avoir peur quand tout autour de soi est insensé…

— Mais moi j'ai peur parce que j'aime Tenzin, papa, tu comprends? J'ai peur, peur pour lui! Je ne peux plus vivre dans cette attente. Je ne veux plus jouer la touriste ébahie alors que l'angoisse me bouffe de l'intérieur!…

J'avais tenu le coup pendant toutes ces journées mais ma résistance était à bout.

— J'en ai assez de tous vos voyages! Je suis fatiguée de partir sans cesse à l'autre bout du monde, regarde où ça nous a conduits! Regarde ça, ces gens, rendus fous avec leurs religions, leurs crémations, leurs castes et leurs réincarnations! Et puis la violence, papa, je n'ai jamais vu autant de violence de toute ma vie! Tu tiens de beaux discours sur la non-violence, mais regarde autour de toi, bon sang! Tenzin a raison, tu comprends? Moi aussi, j'en aurais eu marre de toute cette folie. Ce n'est pas sa faute s'il est orphelin et Tibétain, il n'a pas choisi. De toute façon, il n'a aucun choix, et quand on n'a pas de choix, on n'a pas envie de faire des efforts! Il ne peut même pas se révolter, c'est affreux. Les adolescents, ça a besoin de se révolter, papa, c'est comme ça, mais lui, il doit juste fermer sa gueule, suivre ses cours de bouddhisme et accepter sa vie de misère. Moi je ne l'accepterais pas, je te le jure, je ne l'accepterais pas!

Gilles savait qu'il n'y avait rien à dire. Je l'ai senti trembler. Il pleurait. Blottis l'un contre l'autre, nous avons pleuré ensemble, longuement. Je ne sais pas combien de temps s'est écoulé ainsi.

— Tu as raison, ma toute petite, a-t-il fini par murmurer. Je te comprends très bien. Et je suis très, très triste pour Tenzin. Moi aussi j'ai peur. Et moi aussi je suis triste en ce moment, je ne sais pas non plus ce qui va arriver…

Je savais qu'il parlait de maman. Malgré tout, j'étais heureuse qu'il m'en parle. La séparation de mes parents était imminente, je le sentais. Elle s'ajoutait à la disparition de Tenzin et attisait mon angoisse comme un grand bûcher dans lequel je sentais crépiter mon cœur et ma raison.

— Maman a été ton premier amour, n'est-ce pas?

— Eh oui, murmura-t-il avec un filet de voix.

Il ne répondit pas tout de suite. Je levai un œil et vis son regard perdu dans le vide, encore tout mouillé de larmes. Le feu qui brûlait devant nous se reflétait dans ses pupilles.

— Je ne sais pas, finit-il par dire. Ta mère et moi, on verra, mais pour Tenzin, vraiment, je ne sais pas ce qu'on peut faire.

J'appréciais qu'il ne me raconte pas d'histoires pour me rassurer. Sur le chemin du retour, il ne lâcha pas ma main tandis que j'avançais comme un automate.

Dès que j'eus franchi le seuil de ma chambre, je m'effondrai sur mon lit et sombrai aussitôt dans un sommeil sans rêves. C'était bien l'année des obsèques. Kâlî la noire ne nous lâchait pas. J'avais l'impression affreuse de l'entendre ricaner dans mon dos.

25.

Le lendemain ma mère allait mieux, mais ne pouvait toujours pas marcher. Mon père insista pour qu'elle se ménage. À nouveau, lui et moi sommes partis pour une promenade sur les *ghâts* avant de nous rendre au Kalighat, le mouroir que Mère Teresa avait créé d'abord à Calcutta, puis un peu partout en Inde, afin de permettre aux plus pauvres de mourir dans la dignité.

C'était le matin et les hindous faisaient leurs ablutions sur les bords du Gange. À cause de la crue du fleuve, très importante cette année-là, les bateaux se trouvaient presque à la hauteur des marches les plus hautes des *ghâts,* là où, faute de place, se pressait une foule compacte. Le courant était très fort et emportait la barque que nous avions louée et que dirigeaient quatre rameurs. Par endroits, ceux-ci peinaient vraiment à contrer la force de Ganga et nous risquions sans cesse de verser dans les tourbillons grisâtres de l'eau. J'adorai néanmoins cette balade le long des berges jusqu'à ce que des cris se fissent entendre de la rive.

Les habitants de Bénarès, pour une fois toutes castes confondues et sans égards pour la promiscuité, se déshabillaient, se savonnaient et se rinçaient torse nu, hommes et femmes, massaient leurs gencives, frottaient leurs cheveux et les lissaient ensuite au fil de l'eau. Les femmes coiffaient leur chevelure en tresses savantes qu'elles fixaient sur le haut de leur crâne. Chevelure noir de jais sur leur peau mate et luisante, dents lumineuses, corps oints d'huiles odorantes, les hindous se pinçaient ensuite les narines pour s'immerger dans le corps liquide de Ganga, leur déesse-mère. Ils remontaient à la surface lavés et purifiés et, yeux clos et paumes jointes, entonnaient un chant avant de déposer une petite bougie sur un pétale de fleur orange ou mauve qu'ils laissaient partir avec le courant pour saluer le jour nouveau. Ils lavaient ensuite leurs vêtements, les essoraient avant de remonter vers un endroit sec où ils enfilaient des vêtements propres, prêts à vaquer à leurs activités. Scènes fascinantes dont la beauté simple me tenait littéralement hypnotisée et que mon père avait fixées sur sa pellicule, jusqu'à ce que s'élèvent des protestations qui vinrent briser l'harmonie de ce matin. Mon père rougit et rangea aussitôt son appareil muni d'un téléobjectif.

— Que je suis stupide! murmura-t-il, le Gange est leur divinité, mais là, c'est aussi leur salle de bain. Est-ce que je permettrais qu'on vienne me photographier dans le secret de mes ablutions matinales? Certainement pas! Et moi je suis là, avec mon matos de paparazzi.

— Ce n'est pas secret puisqu'ils sont dehors, lui fis-je remarquer.

— Parce que c'est ainsi dans leur culture, me répondit-il. Ça n'en demeure pas moins intime et ne doit pas être moins respecté.

Et joignant le geste à la parole, il fit signe aux rameurs que notre promenade était finie et que nous allions accoster.

— *Not allowed to do that*[7]! lui dit celui qui semblait le chef.

— *Sure I am!* rétorqua mon père, menaçant de plonger dans le Gange s'ils ne nous laissaient pas débarquer.

Nous descendîmes donc au milieu des hindous qui s'étonnaient en effet de voir débarquer des étrangers blonds et bronzés au milieu de leur rituel matinal. Mais ils ne bronchèrent pas, prenant, à juste titre, notre débarquement pour une victoire. Mon père et moi nous fondîmes dans la foule et nous engageâmes dans le lacis de ruelles étroites qui jouxtent les *ghâts* et où les touristes ne vont absolument jamais. Nous y vîmes des scènes

---

7. Interdit de faire ça!

de la vraie vie des Indiens, telle que nous ne la soupçonnions pas, comme ces femmes si belles dans leurs saris dorés qui brassaient des pétales de fleurs en chantant dans une cour, ou telle que nous la soupçonnions, tels ces enfants de six ou sept ans tout au plus qui de leurs petites menottes rebrodaient les soieries qui seraient vendues à prix d'or à des bêtas de touristes de notre espèce. Tout cela s'imprima dans notre mémoire, et non sur la pellicule photographique. Ce qui suivit aussi.

Après plusieurs heures de déambulation, nous parvînmes devant le bâtiment propre et fraîchement repeint du Kalighat de Bénarès. Nous voulions visiter ce lieu qui avait fait la réputation de Mère Teresa, mais au moment de nous engager à l'intérieur, de grands cris de lamentations, et des pleurs mêlés, parvinrent à nos oreilles. Un attroupement s'était formé, nous empêchant d'entrer :

— Que se passe-t-il ? demanda mon père.

— *It's Mother Teresa Day. Commemoration of her death.*

Je restai pétrifiée. Mon père blêmit. Les paroles de Mme Choezom ne cessaient de me revenir même si de toutes mes forces, je voulais lutter contre le mauvais sort qu'elle avait annoncé. Tout cela me semblait irrationnel. J'aurais voulu le balayer du revers de la main.

Un Indien se tenait cependant en marge du chœur des lamentations. Il maugréait dans son coin puis, se retournant, se trouva face à mon père :

— Dieu merci cette femme est morte, dit-il sans plus de cérémonie.

Mon père, sans être croyant ni admirer particulièrement la défunte, s'étonna de l'intempestivité de cette déclaration et lui demanda :

— Pourquoi dites-vous cela ?

— Pourquoi ? Savez-vous qui Mère Teresa et ses sœurs choisissaient pour les faire entrer dans leurs mouroirs ?

— Ce sont des miséreux, non ? Mère a érigé ses lieux pour que les plus pauvres puissent aussi mourir dans la dignité…

— Si vous croyez cela, c'est que vous êtes bien naïf, commenta l'homme avec un sourire moqueur. N'entrez pas, alors, car vous allez être déçus. La dépouille de la « sainte » est à Calcutta de toute façon, ici on ne fait que pleurer, il n'y a rien à voir.

Mon père le regardait sans comprendre.

— Pourquoi se réjouir qu'elle soit morte ? Tout le monde respecte la mémoire et le travail de Mère Teresa, me semble-t-il, non ?

— Les loques humaines qui meurent dans la rue, c'est malheureusement pas ce qui manque en Inde, pas vrai ? Alors comment croyez-vous qu'elle choisissait ceux à qui le droit de mourir dignement, au chaud et au propre, serait magnanimement accordé ? Hein, à votre avis ?

— Je ne sais pas, dit Gilles, les sourcils froncés. Ni lui ni moi ne nous étions jamais posé cette question, pourtant pertinente.

— C'est pourtant simple, poursuivit l'homme, non mécontent d'avoir semé le doute dans nos têtes. Mère Teresa et ses disciples n'ont jamais pris que ceux qui acceptent de se convertir au christianisme. Les autres ne méritent pas de crever dans la dignité. Ça s'appelle du prosélytisme, ça, Monsieur, et non pas de la charité. Et qu'on ne vienne pas me dire qu'il faut pleurer, parce que des raisons de pleurer, ce n'est pas ce qui manque en Inde! Mais voyez-vous, même avec cette misère, seuls ceux qui n'ont aucune famille ou qui sont mentalement handicapés acceptent de renier leur religion hindoue. Entrez, allez-y, vous verrez par vous-mêmes que je dis vrai.

Mon père était visiblement ébranlé. Une ride profonde creusait ses sourcils.

— Oui, dit-il, nous irons une autre fois.

Nous tournâmes les talons et rentrâmes lentement, main dans la main, un peu sonnés, parce que quelque part les propos de cet homme sonnaient juste. Il n'avait aucune raison de mentir.

À combien de religions avais-je été confrontée en deux mois? Violemment confrontée, qui plus est. J'avais été plongée dans une marmite bouillonnante. Chaque religion que j'avais croisée recelait sa face lumineuse et sa face obscure, sa dimension merveilleuse et sa dimension turpide, mais dans tous les cas, je ne savais toujours pas quoi en penser.

C'est à cet instant précis que Tenzin est apparu devant moi. Je l'ai vu distinctement, me souriant à pleines dents, avec toute la tendresse du monde dans son beau regard à la fois triste et rayonnant. J'ai tendu la paume pour le toucher. Son image s'est évanouie aussitôt.

Deux grosses vaches noires barraient le passage. Les passants s'étaient immobilisés, formant un attroupement impossible à contourner. Il fallait attendre que ces foutus bovins daignent se pousser de leur plein gré. À Bénarès comme ailleurs, les vaches ne meurent pas dans les rues. Elles sont grosses, grasses, bien nourries et bien logées. À la tombée de la nuit, des préposés municipaux les regroupent dans les étables qui leur sont réservées. Leurs estomacs y sont nourris, leur pelage lavé et lustré avant leur sommeil. En Inde, il fait bon se réincarner en vache. Elles, au moins, leur avenir est assuré.

Je venais de comprendre que je ne reverrais plus Tenzin. Plus jamais. Cette pensée, que j'avais repoussée jusqu'alors, s'imposait désormais à moi.

Je repensais aux merveilleuses semaines passées ensemble. Notre histoire avait été aussi intense que fulgurante, pareille à un éclair dans le ciel himalayen, suivi d'un grondement de tonnerre puis d'une secousse sismique. Combien de fois avions-nous pu nous aimer ? Cinq, six, dix fois peut-être. C'était tout, mais ces instants m'avaient paru éternels, et je ne les oublierai jamais. Les amours impossibles sont toujours intenses et fulgurantes. Les premières amours sont souvent impossibles, mais les circonstances dont nous avions été victimes continuaient de m'insupporter.

Tout me parut clair soudain. Pendant nos deux semaines idylliques, Tenzin avait préparé sa fin. C'est pour ça qu'il était si joyeux et qu'il dépensait sans compter. C'est pour ça qu'il mettait tant d'ardeur dans notre relation, tant de tendresse et de fougue dans nos étreintes. Tenzin voulait vivre l'amour avant de mourir. Parce que sa décision était prise. Cette évidence m'apparaissait clairement, mais sur le coup, emportée par ma passion, mon attente et mon questionnement, je ne m'étais rendu compte de rien. Et je n'avais jamais pu lui parler. Si nous avions pu nous parler, peut-être se serait-il confié à moi. Au milieu de cette rue bondée de Bénarès, je comprenais enfin, mais trop tard. Je me suis écroulée au sol.

La nouvelle nous est parvenue le matin suivant. En anglais. Dans un coin de l'avant-dernière page du *Herald Tribune*.

Un groupe de six jeunes orphelins tibétains, résidents du Tibetan Children Village de

Dharamsala, dans la province himalayenne de l'Himachal Pradesh en Inde, s'est donné la mort en s'immolant devant le siège des Nations Unies à New Delhi. Ils étaient âgés de 14 ans à 19 ans. Leurs cendres mêlées ont été rendues à la communauté tibétaine réfugiée en Inde autour de son chef spirituel et temporel, Sa Sainteté le quatorzième dalaï-lama.

Tenzin s'était immolé. Brûlé vif sur le bûcher d'une vie qu'il ne voulait pas accepter, terrassé par trop d'inadmissibles absurdités. Ce drame ne méritait qu'un entrefilet entre d'autres nouvelles, beaucoup plus importantes. La nouvelle ne valait même pas un article. Pensez donc! Quelques Tibétains de plus ou de moins, ce n'est pas cela qui empêcherait le monde de tourner. Le monde? Mais quel monde? Beau monde que celui-là, où la vie de Tenzin, de Dagbo et de leurs amis, leur vie comme celle de l'ensemble du peuple tibétain, comme celle des intouchables, des femmes indiennes brûlées avec leurs petites filles à l'acide, se résumaient à quelques mots à la rubrique des faits divers. Quantités négligeables.

26.

Il nous faudrait retourner au TCV, c'était inévitable. Mes parents devraient également trouver des remplaçants afin que nous puissions rentrer au Québec. Nous avions pris cette décision de concert. Je n'aurais jamais pu continuer à vivre au TCV comme si de rien n'était.

En téléphonant à *amala*, mon père apprit qu'une cérémonie funéraire à la mémoire des jeunes suicidés aurait lieu la semaine suivante avec l'ensemble de la communauté. Sylviane et Gilles décidèrent alors de quitter Bénarès pour naviguer sur le Gange jusqu'à son delta, au large de Calcutta. Une semaine nous serait nécessaire pour aboutir aux multiples bras grâce auxquels Ganga rejoint l'océan Indien, au terme d'un parcours de deux mille kilomètres depuis sa source himalayenne. Une semaine de voyage fluvial pour me consoler peut-être un peu, pensaient-ils. Abrutis de douleur, moi complètement prostrée, hébétée par le chagrin, nous avons embarqué sur un rafiot rafistolé, qui pouvait transporter quelques passagers en plus des objets d'artisanat qu'il devait livrer à Calcutta. Je me fichais de la vétusté de l'embarcation. Je me disais que si nous coulions, ma souffrance coulerait avec moi.

Je me croyais indifférente à l'extérieur, mais j'ai quand même vu, au long de cette navigation finale, des choses qui se sont imprégnées dans ma mémoire à jamais. Les conditions de vie dans le delta du Gange sont parmi les plus extrêmes de la planète. Même si cent millions d'humains y survivent, une partie de la région demeure complètement sauvage, abritant des animaux uniques et étranges. C'est la forêt de Sundarbans, la plus grande mangrove du monde, redoutée des hommes, qui s'engagent pourtant, une fois l'an, dans cette forêt touffue avec pour seule protection la prière adressée à leurs dieux respectifs, divinités hindoues pour les Indiens, Allah pour les Bengalis.

Forêt de palétuviers, trente espèces différentes, seul arbre capable de survivre dans l'eau salée du delta qui nourrit ses racines. L'un des principaux prédateurs des Sundarbans est aussi celui qui assure la pérennité de la forêt : l'abeille géante, grosse comme un pouce, pollinise les palétuviers pour fabriquer son miel, assurant aussi la survie de l'espèce. Une fois par an, les hommes risquent leur vie pour venir chercher ce miel rare qu'ils revendront cher. Les abeilles les attendent, et défendent leurs ruches. Les approcher à moins de dix mètres, c'est signer son arrêt de mort. C'est une lutte à mort où chaque espèce combat pour sa survie. Lutte des abeilles contre les hommes, mais aussi des hommes contre les hommes, leurs concurrents qu'il faut devancer pour parvenir le premier aux ruches et s'en emparer. Tous les ans, avant de partir, ces chasseurs de miel disent adieu à leur famille.

Un autre prédateur, le plus redoutable de tous, seigneur des Sundarbans, tue pour sa part une centaine d'humains par an, sans parler des dizaines de proies animales qu'il dévore chaque jour, le tigre du delta du Bengale, un fauve de plus de trois cents kilos. L'eau salée dont il s'abreuve décuple son agressivité. Les Sundarbans constituent la plus grande réserve de tigres au monde, abritant dans leurs touffeurs salées près de quatre cents individus. Ces tigres n'ont jamais peur des humains qui tremblent devant eux. Ils s'approchent jusqu'aux lisières des villages, la nuit, pour leur voler un peu d'eau douce et, quand ça leur chante, s'ils voient, en position accroupie ou courbée, un humain qui lui ne les voit pas, ils lui sautent dessus.

Grouillent aussi, dans les vases du delta, reptiles et amphibiens plus laids les uns que les autres, périophtalmes, espèces endémiques des mangroves, poissons à pattes qui avancent sur leurs nageoires supérieures et peuvent ainsi sortir sur les rives pour engloutir les déchets qui y échouent, crabes violonistes à l'unique et énorme pince droite destinée à impressionner les femelles et effrayer les adversaires, crocodiles marins, grands varans qui, à défaut de mieux, se contentent souvent de marabouts chevelus, oiseaux sans grâce d'allure préhistorique. En équilibre précaire dans une barque, on s'aventure dans cette contrée hostile, vaste comme dix fois l'Angleterre, où l'humain ne devrait pas survivre, et pourtant, ce delta continue à nourrir l'équivalent du dixième de la population mondiale.

Les bras du Gange coulent le long des berges de terre meuble, accueillant les plongeons des enfants. Les villageois creusent le lit du fleuve pour ramasser du sable destiné à la construction. Les femmes portent de lourds paniers remplis de sable sur leur tête frêle entourée d'un voile de sari aux couleurs vives. Une fillette magnifique sourit dans le soleil qui illumine l'anneau doré enserrant sa narine gauche. Sa chevelure est couleur d'encre, ses prunelles sont plus noires encore. Mon père a pris cette magnifique photo qui trône désormais sur mon bureau.

Les villages de pêcheurs grouillent d'une activité aussi intense que provisoire, car elle n'a lieu que l'espace d'une saison. Des petits garçons de huit ans accroupis sur leurs talons trient les carcasses de poissons étalées par milliers au soleil. L'odeur nauséabonde attire les tigres qui rôdent tranquillement près des villages, en plein jour.

Soudain s'abat la mousson. Des pluies torrentielles se déversent sur le delta, transformant le paysage désertique en paysage maritime. Toute l'eau déversée dans les bras du fleuve multiplie sa densité par cent et rend son débit supérieur aux débits de tous les fleuves européens réunis. C'est un déluge annuel, et une manne céleste. Les berges cèdent à l'érosion et les villageois doivent déplacer leurs maisons, car des centaines de mètres de rive disparaissent. Les orages pilonnent la forêt de Sundarbans. Les marées de mousson obligent les animaux à refluer vers les villages. Les cerfs y retrouvent les tigres. La mousson est une épreuve annuelle à laquelle certains ne survivent pas, mais la grande majorité, hommes comme animaux, voient leur endurance grandement récompensée. Une boue de plus de deux kilomètres de profondeur charriée par le fleuve depuis des millénaires vient tapisser les berges, féconder les terres et assurer les récoltes. Ganga, la déesse du fleuve, veille sur la pérennité des richesses et la perpétuation du cycle de la vie.

J'ai compris exactement pourquoi mes parents m'avaient entraînée dans ce voyage fluvial. Le fleuve est le symbole de la vie qui dépasse la minuscule vie humaine et sa dérisoire durée. Le long des berges de Sundarbans se déployait une allégorie de la vie grandiose de la nature régie par le cycle immortel du vivant, cerné de dangers et qui, sans cesse, malgré lui, meurt et renaît : vie, amour, mort, vie, amour, mort, vie, amour. C'est une danse, la danse incessante de la vie terrestre. C'est la danse de Shiva Nataraja qui, en équilibre sur une jambe, tourne indéfiniment sur lui-même, faisant tourner le monde dans son élan.

Nous avons accosté aux îles du silence, au large de Calcutta, où des pèlerins se rendent chaque année avec cette ferveur presque folle propre aux Indiens. Ces îles sauvages représentent le dernier point de terre situé dans le delta du Gange avant que le fleuve ne disparaisse totalement dans l'océan, tout comme la vie humaine s'achève et se fond dans l'immensité du cosmos. Nous nous sommes perdus parmi les centaines de milliers de pèlerins venus rendre hommage à Ganga, laver leur corps, leur cœur et leur esprit, demandant au fleuve d'emporter leurs malheurs et de les dissoudre dans l'océan. Ils étaient tous nus comme au jour de leur naissance, ils priaient et se purifiaient dans les eaux saumâtres pour mieux vivre cette vie-ci, et la suivante.

Je me suis déshabillée et me suis jetée dans l'eau avec tous ces humains si nombreux que je ne les voyais même pas. J'ai perdu de vue mes parents, mais peu m'importait, je voulais laisser dans ce fleuve ma douleur et mon chagrin et, le corps immergé dans le Gange, j'ai pleuré toutes les larmes de mon corps.

Pour quiconque veut tenter de comprendre l'humain, ou soi-même, l'Inde est une grosse marmite de laquelle il pourra tirer le meilleur, ou le pire. Personne ne repart d'Inde dans le même état qu'à son arrivée. L'Inde, c'est toujours une initiation, même si elle est différente pour chacun. Le moins que l'on puisse dire, c'est que ça a été le cas pour mes parents et moi. Je sais aujourd'hui que l'Inde nous a transformés. Il me semble que depuis ce voyage, mes parents et moi, comme tous ces produits qui nous viennent de là-bas, sommes estampillés *Made in India*.

27.

Il n'était pas question de refaire un voyage aussi long et éprouvant que la première fois vers Dharamsala. J'allais trop mal pour ça, et mes parents eux aussi étaient exténués, perplexes et impuissants devant ce qui était arrivé. Ils me protégeaient, toutes leurs forces s'étaient regroupées autour de moi. Ma mère allait mieux, les antibiotiques avaient bien fait leur travail, même si ses pieds étaient toujours bandés. Les pustules ont mis des semaines à guérir et sécher, mais les cicatrices, elles, sont toujours visibles, encore aujourd'hui. Elle ne se plaignait pas de toute façon, je pense même qu'elle avait complètement oublié ses propres blessures devant l'énormité de la détresse affective et psychologique dans laquelle elle voyait son enfant.

De retour de la réserve de Sundarbans, à Calcutta, nous avons pris l'avion pour Delhi. Mes parents se sont rendus à l'ambassade du Canada pour prévenir que de graves circonstances les obligeaient à rentrer au Québec d'urgence. Je n'aurais pas pu vivre un an au TCV après ce qui s'était passé, et mes parents ne le souhaitaient plus non plus. Mais ce n'était pas si simple de rompre ainsi leur engagement auprès du ministère de l'Éducation québécois ni de leur trouver sur-le-champ des remplaçants. « Mais personne n'est irremplaçable, plaida ma mère, et il arrive malheureusement que la situation vous échappe. »

Les fonctionnaires canadiens comprenaient très bien la situation et ils promirent de tout faire pour régler le tout au plus vite et nous permettre de rentrer dans les plus brefs délais. C'était d'autant plus important que l'année scolaire tibétaine avait juste commencé en juillet. En effet, après le Losar, le nouvel an tibétain, qui tombe généralement fin février ou début mars, les étudiants prennent leurs grandes vacances au printemps, d'avril à juin, et reprennent les classes en juillet. Même la mort de Tenzin ne justifiait pas que les enfants du TCV soient privés de cours de maths et d'anglais. « Je vous préviendrai dès que possible », assura la dame qui nous reçut à l'ambassade. Nous l'espérions.

À Delhi, nous avons pris un petit avion qui nous débarqua dans un village près de Dharamsala. De là, un taxi cahoteux nous a conduits au Men-Tsee-Khang où mes parents ont déposé leurs affaires, puis au TCV où tous attendaient mon retour. Je n'avais pas mis le pied au sol qu'*amala, pala* et tous mes amis de la maison deux m'entouraient déjà de leurs bras, me serrant si fort que je crus étouffer.

Ce genre d'effusions est très peu dans leur nature et leur culture, mais nous avions tant de peine à partager, tant de larmes à verser ensemble après en avoir versé tellement chacun de son côté. Je garde un souvenir très fort de ces moments où, agglutinés les uns aux autres, comme pour nous empêcher mutuellement de sombrer dans la douleur et le sentiment d'abattement et de révolte, nous avons pleuré bruyamment, anéantis par notre impuissance personnelle et collective à prévoir, et peut-être éviter, le drame. Mes parents aussi pleuraient avec nous, collés contre *amala* et *pala* et le directeur de l'école. Et tandis que nous nous lamentions tous au milieu de la salle commune de la maison deux, Helle est arrivée avec ses parents. Je l'ai aperçue, livide, les joues creusées, les yeux rouges dont les larmes, à force d'avoir coulé, s'étaient taries. D'un bond, j'ai sauté vers elle, nous sommes tombées dans les bras l'une de l'autre et ensemble avons éclaté en sanglots, nous serrant fort à nous broyer les os. Les fantômes de Dagbo et Tenzin flottaient autour de nous, j'en suis sûre. J'ai distinctement senti leur souffle à ce moment-là. En nous retournant, nous avons vu nos parents qui nous regardaient, soucieux et désespérés, en se tenant les mains. La solidarité, la communion étaient tellement parfaites entre tous à ce moment-là. Comment se faisait-il qu'elles n'avaient pas suffi à sauver ces jeunes? La colère avait triomphé, leur colère contre leur vie insensée et injuste, et cette colère les avait consumés. Littéralement.

L'ensemble du TCV avait attendu que mes parents et moi soyons revenus pour tenir une cérémonie mortuaire. On ne se suicide pas dans l'esprit tibétain, pas plus que dans d'autres religions. Selon le bouddhisme, on doit vivre, avoir le courage de le faire, suivre son karma jusqu'au bout, et non pas y échapper par le suicide. C'est le prix à payer pour prétendre à une meilleure réincarnation dans sa prochaine vie. Cela signifiait-il que la prochaine vie de Tenzin serait plus insupportable encore parce que celle-ci lui avait été insupportable au point qu'il décide de la quitter avant ses vingt ans?

J'appris que la cérémonie mortuaire serait présidée par le chaman personnel du dalaï-lama. C'était un honneur exceptionnel, car ce sorcier n'officie que pour monsieur Océan de Sagesse. Cela signifiait que ce dernier avait été mis au courant, forcément, et qu'il avait compris le désespoir invivable qui avait emporté ces jeunes gens. Sa décision avait été guidée par une compassion, une compréhension de la souffrance de ces jeunes.

La gentillesse reste le principal fondement du bouddhisme. Le dalaï-lama aime à le rappeler, lors de ses conférences livrées d'un bout à l'autre de la planète, mais aussi, bien sûr, par ses actes. Le chaman, secondé par les moines du temple de Nechung, allait donc officier pour Tenzin et ses amis.

La cérémonie devait se tenir quatre jours après notre retour. Quatre jours à errer, parce que je refusais d'aller à l'école, de me promener, de faire quoi que ce soit, sauf, et à peine, dormir et manger. Ma mère me ramena en consultation au Men-Tsee-Khang, où la doctoresse tibétaine me prescrivit de nouvelles pilules de plantes, destinées à soutenir mon moral et mon esprit. Cela ne fonctionnait pas. Je restais prostrée dans mon lit ou alors dans le lit de Helle, blottie contre elle. Je ne voulais pas retourner sur les lieux que j'avais fréquentés avec Tenzin. Partout où j'irais, son souvenir m'assaillirait. Je ne voulais donc aller nulle part.

Le jour venu, l'ensemble du TCV, plus de mille cinq cents personnes, s'est rendu, en procession derrière les moines qui psalmodiaient et le chaman officiel qui était déjà en transe, vers un lieu de culte situé sur un plateau à trois kilomètres de distance et deux kilomètres plus haut que le TCV. Arrivés là-haut, épuisés, nous avons en plus été frigorifiés, malgré les vapeurs de mousson. Des brumes flottaient autour de nous, comme des spectres menaçants ou vengeurs. L'ambiance était lugubre. Helle et moi nous serrions l'une contre l'autre, agrippées par les épaules, tandis que nos parents faisaient bloc autour de nous, à la fois pour nous réchauffer et nous soutenir.

La tradition tibétaine considère que, l'esprit ayant quitté le cadavre, celui-ci peut au moins servir à nourrir d'autres êtres vivants. Chez ce peuple du toit du monde, tout voyage avec le vent : leurs prières, avec les moulins tournants et les drapeaux couverts de mantras, leur karma, qui explique qu'ils puissent se réincarner à des milliers de kilomètres du lieu de leur trépas, et aussi leurs cadavres qui finissent par voler à l'intérieur des estomacs des oiseaux.

Mais Tenzin et ses amis, en souvenir desquels nous étions réunis dans ces hauteurs, s'étaient immolés, il n'y avait donc pas de cadavres à hisser. Pas même de cendres puisqu'ils avaient brûlé ensemble, main dans la main, racontait-on, devant le siège de l'ONU à Delhi, leurs poussières organiques mêlées à la poussière de la grande ville indienne.

D'ailleurs, mes parents et moi nous étions rendus sur place au retour de Calcutta. Avant d'aller à l'ambassade du Canada, nous avions tenu à rendre hommage à Tenzin et Dagbo. Il n'y avait rien. Rien du tout. Tout avait été nettoyé, ne laissant aucune trace, aucune preuve, de leur martyre et de leur sacrifice. Pas même un bouquet de fleurs, un signe, rien qui commémorât leur présence. Personne ne savait rien, ou on voulait faire comme. Six jeunes s'étaient enlevé la vie à cet endroit et cela ne valait pas la moindre trace commémorative ? J'étais atterrée.

Je me demandais bien en quoi consisterait la cérémonie, en l'absence de dépouilles ou d'un quelconque fragment de celles-ci. Comme je me posais la question, le chaman, les yeux révulsés sous son grand chapeau de soie jaune et pourpre, s'est mis à tourner sur lui-même, bras au ciel, proférant des cris de bête sauvage. Il s'agissait pour lui d'entrer en communion avec l'esprit des jeunes gens, avec chacun d'eux tour à tour, ce qui expliquait le changement de ses expressions, de ses mimiques et de sa gestuelle.

Je me demandais quelle expression il adopterait, quel serait son état mental lorsqu'il aurait établi le lien avec Tenzin, mais je ne suis pas parvenue à reconnaître ce moment. Pendant des heures avec cette immense foule massée autour de moi et dont je ne voyais pas les limites, serrant fort la main de Helle dans ma paume tremblante, j'ai assisté à cette cérémonie en espérant, même si je ne partageais pas leurs croyances, que puisque Tenzin, lui, y adhérait, elle lui serait profitable, qu'il serait libéré et serein, le plus possible, là où il se trouvait. L'après-midi tirait à sa fin lorsque le chaman, qui avait tant tournoyé sur une jambe, a fini par s'effondrer au sol dans un grand cri, comme évanoui. La foule, alors, a commencé à chanter, un chant calme et doux qui consistait en une répétition de syllabes. Celles-là, je les ai reconnues. Tenzin les répétait souvent. *Om Padme Um Om Padme Um Om Padme Um,* et moi aussi je me suis mise à psalmodier en rythme... Je ne sais combien de temps cela a duré.

La ritournelle sacrée a fini par produire son effet hypnotique, les gens autour de moi se balançaient sur eux-mêmes en répétant les sons, je me suis sentie emportée par une marée humaine qui me happait dans ses flots, c'est tout juste si je sentais encore mes pieds au sol. Une immense tendresse m'a envahie et une partie de ma peine, sur le coup, m'a semblé s'écouler hors de moi dans un ultime flot de larmes. Quatre hommes ont soulevé le chaman sur une sorte de brancard et à leur suite, la foule a commencé sa descente vers le TCV en une interminable file indienne. J'ai aperçu *amala* en contrebas. Elle se tenait la tête à deux mains et semblait marcher avec difficulté. Elle était la mère de substitution de tous les orphelins de son unité, son deuil, sans doute, était incommensurable, même si elle allait certainement, comme tous les exilés tibétains qui se trouvaient là, en vivre beaucoup d'autres.

En marchant, j'ai repensé aux paroles de l'astrologue du dalaï-lama qui avait répété à ma mère que cette année était celle de ses obsèques. C'était vrai. C'était l'été où la mort avait rôdé partout autour de nous. L'été de la nuit omniprésente. L'été de Kâlî. Tenzin n'y avait pas survécu. Le couple de mes parents non plus. Et toi, Emma, que t'est-il arrivé ? En moi, quelque chose était mort. Mon enfance en tout cas, sans aucun doute.

Pourtant, c'est drôle, mais malgré toute la douleur et la rage, la dépression qui m'a fauchée pendant plus de six longs mois après notre retour au Québec, aujourd'hui, je sais que tout cela m'a fait grandir en révélant en moi des forces que je ne me soupçonnais pas. J'avais toujours entendu les gens dire qu'on ne revient jamais d'Inde tel que l'on était en y arrivant, et ça m'énervait. Ça énervait aussi ma mère, je me souviens de l'avoir entendue dire ça. Tous les voyages vous changent, d'aucun voyage on ne revient identique, et heureusement ! Je parle bien de voyages, de vrais voyages, pas de prendre un avion, aller se coucher sur une plage ou une chaise longue, non, un vrai voyage, avec de l'implication, du dépaysement, de la remise en question. Le voyage doit vous remettre en question, sinon ce n'en est pas un. Sur ce point, ce voyage aura été une réussite. Mes parents et moi sommes sortis d'Inde comme du programme *Essorage* de la machine à laver.

Mes parents ont continué à enseigner, mais moi je ne suis plus retournée à l'école. Je restais avec *amala* dans la maison, elle me peignait les cheveux et je l'aidais dans ses tâches ménagères. Ou bien j'allais chez Helle, qui séchait les cours elle aussi. Après deux semaines, la nouvelle est arrivée : deux autres coopérants canadiens prendraient la relève de mes parents quelques jours plus tard. Nous pouvions donc retourner au Québec, et c'est ce que nous avons fait à la fin septembre. Après une belle soirée d'adieu, recueillie et amicale, avec toute la maison deux, et bien sûr mon amie, ses parents et les miens, nous avons fait nos bagages, échangé des sourires forcés et des accolades sincères et avons repris le taxi puis l'avion jusqu'à Delhi. Helle et moi nous étions promis de nous écrire et elle devait venir me voir chez moi l'été suivant, ce qu'elle a fait.

Nous avons pris un avion de Delhi vers New York puis vers Montréal. Nous sommes rentrés chez nous, à l'autre bout du globe. Rien ne s'est passé comme mes parents l'avaient prévu, mais la vie est toujours mouvante. Car, dans la vie terrestre, « la seule chose qui ne change pas c'est le changement »… Paroles bouddhistes, universelles, dont j'ai bien compris le sens. Notre voyage avait commencé et s'était terminé dans les cendres. Quelque chose naît, quelque chose meurt, sans cesse, c'était bien ce que m'avait concrètement démontré, à travers l'image souveraine de la nature, notre voyage fluvial vers les Sundarbans. L'impermanence, je l'ai vue à l'œuvre. C'est ce que m'avait appris cet inoubliable été d'amour et de cendres.

Me revient une dernière scène de notre voyage. Celle de ma rencontre avec le dalaï-lama, la veille de notre départ, lors d'une audience semi-privée.

Le chef spirituel et temporel du peuple tibétain en exil avait sans doute été informé des terribles événements et, peut-être, des liens privilégiés que Helle et moi avions entretenus avec Dagbo et Tenzin. On nous informa qu'il souhaitait nous rencontrer, avec nos parents, dans son bureau du Norbulingka. Je ne savais pas si j'avais vraiment envie d'y aller. Dans l'antichambre dans laquelle nous attendions qu'on vienne nous chercher pour le rencontrer, je gardais la tête baissée et les mâchoires crispées, le cœur clos.

Le dalaï-lama l'a sans doute immédiatement compris, rien qu'à ma façon de traîner les pieds en avançant vers lui. Je tenais à la main la traditionnelle écharpe de satin blanc que je devais lui tendre pour qu'il la dépose autour de mon cou en signe de communion et de protection. Je savais que je ne devais pas, selon le protocole, lever les yeux sur lui. Mon tour venu, la nuque affaissée, j'ai donc tendu mon écharpe en me tenant debout devant le trône sur lequel il était assis en tailleur. Et là j'ai entendu sa voix. Une voix à la fois affectueuse et profonde, dans laquelle passait toute la compassion du monde. Il a pris l'écharpe et a gardé ma main dans les siennes. La chaleur qui m'envahit alors m'a atteinte comme une onde de choc, tandis qu'il me souhaitait la bienvenue et prononçait un mantra de protection pour moi.

J'ai levé les yeux et mon regard a plongé dans le sien. Il tenait volontairement son visage tout près du mien, en signe de partage, d'empathie et de proximité. L'expression de son regard, plus que tous les mots qu'il aurait pu prononcer, témoignait de l'incommensurable humanisme de cet être hors du commun, de sa connaissance profonde de la souffrance humaine, de sa compréhension de la peine de l'autre, toujours pareille à celle de tout être vivant sur la terre.

Loin de toute forme de foi religieuse, j'ai ressenti l'humanité de cet homme qui avait consacré sa vie, sans l'avoir choisi, à tenter de guider son peuple en cette période atroce de son histoire, par-delà l'exil, la misère, l'oubli, la trahison de tous les pays qui auraient pu aider les Tibétains, depuis le tout début de l'invasion chinoise, et ne l'ont pas fait.

Comment se pouvait-il qu'il ne soit pas en colère, révolté et dégoûté par toutes les injustices qui les avaient accablés, lui et son peuple, depuis tant de décennies? Se pouvait-il que la philosophie bouddhiste, la méditation et l'étude auxquelles il était rompu depuis sa tendre enfance l'aient fortifié au point qu'il était devenu indifférent aux conditions dans lesquelles vivait son peuple?

Bien au contraire. Dans son regard, j'ai vu la douleur, l'écoute, le partage. Dans ses paumes qui entouraient les miennes, j'ai senti circuler l'amour, l'amour pour tous les humains dont la condition est intrinsèquement liée à la souffrance, et qu'il pouvait ressentir, lui aussi, comme membre à part entière de l'humanité. Tenzin avait choisi de cesser de souffrir, c'était son choix, je devais l'accepter, et ne me faire aucune illusion. Selon le bouddhisme, l'illusion est la plus sûre source de souffrance annoncée, inévitable. Tenzin ne se faisait aucune illusion sur son avenir, aussi avait-il fait son choix. Il n'y avait rien que je puisse faire. Le bouddhisme dit bien que si une situation échappe totalement à notre champ d'action, si on ne peut rien faire, alors il ne sert à rien de s'en préoccuper et encore moins de vivre dans l'angoisse. Il faut lâcher prise.

C'était précisément ce dont Tenzin et ses amis avaient été incapables. Ils avaient préféré faire ce que m'avait dit Bodnath, le chef de leur groupe secret : mourir en sautant à la tête du chat, dans un ultime geste de révolte. Ils n'avaient eu ni raison ni tort, simplement, c'était leur choix. Nous avons toujours le choix. Dans n'importe quelle situation, nous avons la responsabilité de notre choix. Sans presque aucune parole, juste par le regard et le contact des mains, j'ai senti que c'est tout cela que voulait me dire le dalaï-lama.

Moi qui avais tant critiqué les Tibétains, j'ai saisi l'autre face de leur culture. Leur dignité immense, leur gentillesse, leur détachement de tout ego, et leur pacifisme qu'ils avaient choisi depuis le XIIIᵉ siècle parce que celui-ci correspondait à leur désir de changement et d'évolution intérieure, humaine et spirituelle, quand bien même ce pacifisme les condamnait, comme je l'avais vu, à l'échec. Je n'étais pas forcément d'accord, mais je ne pouvais l'ignorer. La civilisation tibétaine est une grande civilisation. C'est indéniable.

Quelque chose en moi s'est ouvert. Mon cœur, fermé dans une tentative de protection, s'est déployé, j'ai senti moi aussi tout l'amour dont s'était accompagné le geste de Tenzin et de ses amis. J'ai senti des larmes, un torrent, un fleuve de larmes s'écouler de mon corps avec une partie de la colère qui me blessait et menaçait de me détruire. Mon cœur sortait enfin, un petit peu, de sa gangue de glace incandescente de ressentiment. Le dalaï-lama a pris sur lui ma colère. J'ai senti qu'il avait fait ça pour moi. Même si la colère est revenue, et qu'encore aujourd'hui elle réapparaît sporadiquement me submerger de ses accès volcaniques, la peine ne m'empêche plus de vivre.

En sortant de la pièce, nous avons croisé de jeunes moines qui, assis par terre dans la grande salle du temple, achevaient un grand mandala, à l'aide de pipettes dont ils faisaient minutieusement tomber des traînées de sable de couleur. Plusieurs jours, plusieurs semaines parfois, sont nécessaires pour constituer ces magnifiques motifs. Les moines nous souriaient, heureux d'avoir accompli cette œuvre artistique autant que spirituelle. Ils nous invitèrent à les rejoindre pour souffler dessus. Pourquoi vouloir délibérément détruire ce qu'ils avaient mis tant d'efforts à bâtir? Je m'y refusai. Le plus jeune des moines vint alors me prendre par la main et, en riant, il souffla sur le sable.

Alors, moi aussi, avec les moines, Helle et nos parents, je me mis à souffler, souffler, de toute la force de mes joues. Les sables colorés s'envolèrent alors, en un magnifique tourbillon pareil à l'arc-en-ciel. Il ne nous restait plus qu'à faire nos bagages.

28.

Demain, j'enfilerai ma belle robe, j'ajusterai mon chignon et, juchée sur mes escarpins vertigineux, je me rendrai au bal des finissants au bras de Mathieu.

Il a été formidable, Mathieu. Après mon retour d'Inde, j'ai passé plus de six mois en dépression, puis, avec beaucoup d'aide venue de diverses sources, j'ai commencé à remonter la pente petit à petit. Lente sortie de la nuit indienne et retour tout aussi lent vers la lumière d'une vie plus ordinaire mais plus tranquille, calme, répétitive et protégée. Mathieu, comme tous mes amis, parents et enseignants, a appris tous les détails de notre expédition dramatique. Il a su pour Tenzin, bien sûr, et pour tout le reste. Mais il a été patient, m'envoyant quelques petits mots, pour les fêtes et pour ma fête en février, mais en observant toujours une parfaite réserve. Il prenait de mes nouvelles auprès de ma mère, je l'ai appris plus tard. Une année s'est écoulée. Avec le retour de l'été, j'allais un peu mieux, même si j'avais l'impression de tout faire mécaniquement, et que cette impression ne m'a toujours pas quittée. J'avais décidé que je retournerais au collège à la rentrée. J'avais perdu une année scolaire et ne voulais pas en perdre une de plus. Une semaine avant la reprise des cours, Mathieu est venu me voir, on a passé un après-midi à discuter puis, peu à peu, nous avons repris l'habitude d'être ensemble, de plus en plus souvent. Un jour, j'ai pris conscience que je pensais plus à lui qu'à Tenzin. Ça a été le déclic. Je n'oublierai jamais Tenzin, on n'oublie jamais son premier amour et Tenzin aura été mon premier amour véritable et initiatique, sur tous les plans. Mais il reste que ma réalité, ma vie, sont ici, et que mon amoureux, c'est Mathieu. Quand il me prend dans ses bras, je sais que rien de mal ne peut m'arriver, et je sais maintenant, avec tout ce que j'ai vu et vécu en Inde, qu'un tel sentiment est aussi rare que précieux. Peu importe combien de temps ça durera, la durée n'est certainement pas l'unité de mesure de l'amour, ça aussi Tenzin me l'a appris. Une chose restera sûre : ce que m'aura apporté Mathieu sera indélébile et irremplaçable, et j'espère moi aussi lui en apporter autant. Entre nous c'est un partage, alors que ce partage, avec Tenzin, n'était pas tout à fait possible, pas seulement à cause de l'absence de langue commune, mais, surtout, à cause de l'absence de langage commun, trop de différences finalement inconciliables entre nos cultures, nos religions, nos visions du monde. Cela, j'ai fini par l'admettre, et ce n'est pas trahir Tenzin que de l'accepter.

Avec le recul, je repense différemment à l'Inde. J'y ai été tellement déstabilisée, tellement bousculée, que je n'en avais gardé que les aspects négatifs. Mais il faut toujours respecter les cultures, les manières de vivre, les croyances et la foi des autres, même si on les juge révoltantes et indignes ou que, tout simplement, on ne les comprend pas. Je ne pardonnerai jamais ce que la vie a imposé à Tenzin et à ses amis, mais je dois respecter son choix. Il a choisi la mort. Il faut l'accepter, et pardonner aussi. Aujourd'hui, je pense à l'Inde comme à un grand pays magnifique, aux Tibétains comme à un peuple courageux et fondamentalement gentil. Les sublimes images du Gange et des cimes himalayennes me reviennent souvent et me portent encore avec leur magie incomparable. J'ai vu toutes ces merveilles et j'en suis reconnaissante.

Je pense aussi différemment à mes parents. Sylviane et Gilles sont divorcés à présent, c'est ce qu'ils voulaient et cela valait mieux pour eux, mais ils ont toujours été amis et le sont restés. Je vis avec ma mère, mais mon père est souvent là aussi. À mon égard, ils n'ont jamais failli. Car c'est quoi le rôle des parents, après tout, sinon de justement ouvrir l'horizon de leurs enfants pour leur permettre de faire leurs propres choix ? Or, ouvrir mon horizon, on peut dire que les miens l'ont fait ! Ils ont plus que rempli leur rôle. Écrire m'a permis de voir tout le bien qu'ils m'ont fait, tous les apports positifs des voyages et des aventures à ma vision du monde et des êtres, même si j'ai aussi vécu, à cause d'eux, une vie souvent trop différente des autres jeunes de mon âge, ce qui n'a pas toujours été simple à assumer.

Pour le moment, je n'ai plus envie de voyager. Cet été, avec Mathieu, on va aller dans un camping pas trop loin de chez nous, et ça va être très bien comme ça. Au bord d'un lac ou au bord du Saint-Laurent, regarder les étoiles, griller des guimauves sur le feu, marcher dans le bois, respirer en tenant la main de Mathieu, oui, ça va être parfait, pas besoin d'aller au bout du monde pour trouver le bien-être, la paix et le partage. J'ai appris que le bonheur est fait d'instants privilégiés et magiques que l'on peut cueillir partout, très loin ou tout près de chez soi, mais toujours près du cœur, si l'on y est attentif et disponible. Et puis il y a Helle, qui est retournée dans son pays et qui va venir me voir aux prochaines vacances de Noël. Je serai tellement contente de la retrouver. Elle me donnera des nouvelles du TCV, d'*amala* et *pala* et des autres, et nous pourrons enfin parler tranquillement de Tenzin et Dagbo en allumant un lampion à l'église en leur souvenir.

Et puis, il me reste les objets.

Chaque jour, je passe en revue les cadeaux offerts par Tenzin rangés sur une étagère dans ma chambre : un foulard de satin blanc, celui que les Tibétains donnent en signe de bienvenue ; des drapeaux de prière rouges, jaunes, bleus, verts et blancs, enfilés sur une cordelette de coton, que les Tibétains accrochent au vent pour qu'il disperse les prières sur la planète et dans l'univers ; des amulettes de corne de yak sculptée ; plusieurs bijoux d'ambre jaune et de turquoise rouge et bleue ; une statuette en argent de Tara la blanche remplie de graines bénies par les moines du temple Nechung ; des boucles d'oreilles, un peigne pour attacher mes cheveux, une chemise tibétaine avec des boutons de nacre posés en biais sur le col. Autant de trésors impérissables.

Il y a la lettre, surtout. Celle que Tenzin m'a écrite, qu'*amala* a trouvée dans ses affaires, qu'elle a remise à Helle qui l'a traduite avant de me l'expédier. Une lettre. Une seule. Si précieuse. Je l'ai encadrée. Tous les soirs, je la relis en pensant à lui.

Chère Emma, je pense à toi et j'ai choisi pour toi ce Chant du bonheur du poète et sage hindou Milarépa.

*Je suis heureux d'avoir rompu les relations avec
    mes proches,
D'avoir renoncé à l'attachement au pays ;
Heureux car je suis libéré des devoirs officiels.
Je ne me suis pas chargé des accessoires d'un moine,
Je ne me suis pas accroché au rôle de maître de
    maison,
J'en suis heureux.*

*Parce que je n'ai plus besoin de ceci ou cela,
Parce que je suis riche des sept sublimes joyaux,
Je suis heureux.*

*Heureux car je ne souffre pas pour assurer ma
    subsistance,
Heureux car je ne crains pas le gaspillage,
Car je n'éprouve pas l'angoisse de la ruine.
Ayant réalisé le vrai sens de l'esprit je suis heureux.
Je n'ai pas à me soucier de l'humeur des donateurs,
J'en suis heureux.*

*Heureux car sans fatigue, lassitude ou chagrin,
Heureux car mon activité n'est point artificielle,
Car tout ce que je fais coule dans le sens du Dharma.
Je ne suis plus épuisé par le désir de bouger,
Je ne crains plus d'être blessé ou tué,
Je suis délivré de la peur d'être dépossédé,
J'en suis heureux.*

*Je suis heureux des circonstances propices aux vertus,
Heureux de l'abandon des impuretés,*

Heureux de l'ardeur aux mérites,
Heureux de la séparation d'avec la colère et l'injure,
D'avec l'orgueil et la jalousie.
En voyant les défauts des huit phénomènes mondains,
En état de parfaite équanimité,
Je suis heureux.

Heureux car j'ai observé l'esprit avec l'esprit,
Car je ne ressens ni espoir ni crainte.
Sans attachement je suis heureux
Dans l'infinité de la claire lumière,
Dans la sphère de sagesse sans imagination,
Dans le stade originel de la puissance spontanée.
Heureux d'avoir laissé à leur place les sens et leurs
*   objets,*
Heureux lorsque s'éclaire la conscience des cinq
*   ouvertures.*
J'ai interrompu le va-et-vient de l'intellect,
J'en suis heureux.

J'ai de nombreuses façons d'être heureux.
Je suis un yogi qui chante d'allégresse
Et je ne souhaite pas d'autre joie.
Même si je meurs je suis heureux
Car je n'ai pas failli.

*Emma, tu auras été la seule femme de ma vie et
tu auras incarné pour moi toutes les femmes. Où
que j'aille à présent, je penserai à toi. Je veux croire
que tu vivras la vie que tu souhaites. Sois heureuse*

pour que je puisse vivre heureux dans ton cœur. Et n'oublie pas que je t'aime.

Tenzin

Montréal, février 2009 – novembre 2011

OUVRAGE RÉALISÉ PAR
LUC JACQUES, TYPOGRAPHE
ACHEVÉ D'IMPRIMER
EN JANVIER 2012
SUR LES PRESSES
DE MARQUIS IMPRIMEUR
POUR LE COMPTE DE
LEMÉAC ÉDITEUR, MONTRÉAL

DÉPÔT LÉGAL
1re ÉDITION : 1er TRIMESTRE 2012
(ÉD. 01 / IMP. 01)